筆録 日常対話

私と同性を愛する母と

黄惠偵
小島あつ子 訳

サウザンブックス社

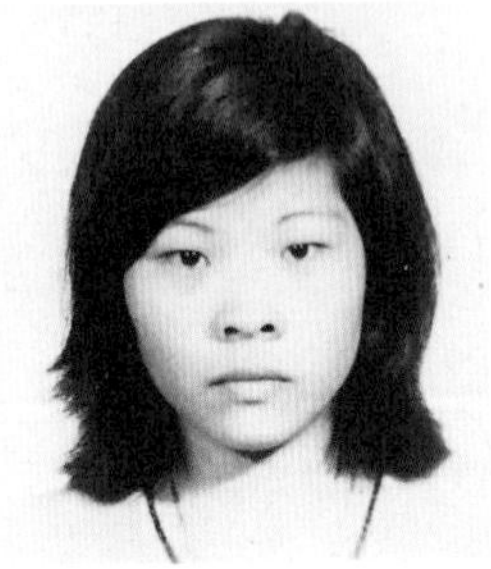

おしゃれをした若い頃の母。私の知らない、母の姿。

紅頭法師の仕事がないとき、母は友人たちと象棋麻雀をして過ごす。

6歳から母と一緒に牽亡歌を唱《うた》い続け、私は大人になった。

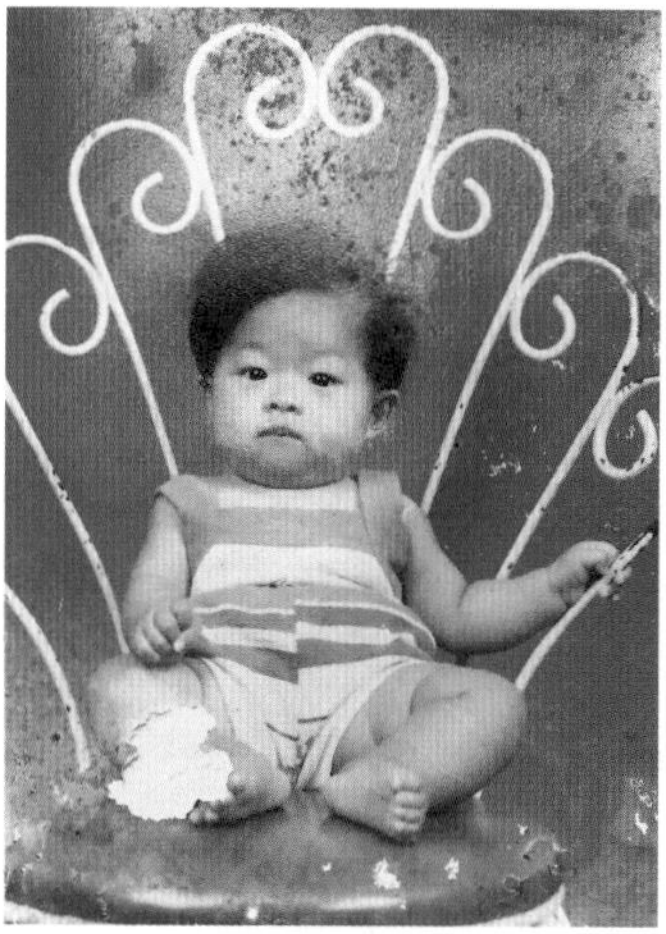

私が赤ちゃんの時の貴重なショット。
生後4カ月頃。

映画の撮影中に撮った、初めての家族集合写真。

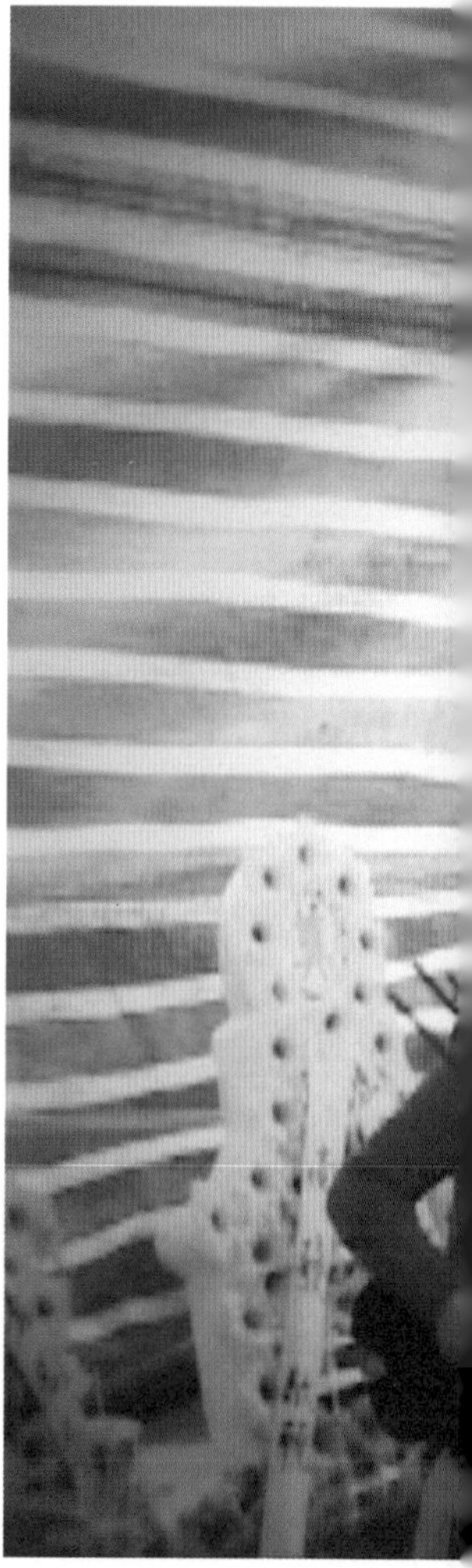

記憶を求めて、母と一緒に故郷・雲林へ。

私の母（右から二番目）、母の姉・兄・弟と共に、昔住んでいた家の前で。

故郷で見つけた、おじたちの青春時代。

映画の鍵となる食卓での対話シーンは、私の人生にとってもかけがえのないものになった。

母親の立場になって初めて、私の母について理解できたことや
答えを見つけたことがたくさんある。

筆録　日常対話

私と同性を愛する母と

はじめに——傷を恥じることはない

「お母さんのこと、私たち家族のことを映画に撮りたいんだけど」。初めて本気で母に打ち明けたのは二〇一四年のことだった。「ウチの話を見たい人なんて、いるの？」というのが母の最初の反応だった。

そりゃそうだ。傷だらけで耐え難い、他人の人生話を聞きたい人なんている？　心の奥深くにしまい込んだ悲惨な話を、微に入り細に入り掘り起こしたところで、それを見た人が嫌な気分になったり、自分自身のつらい気持ちを再認識させたりするだけなんじゃない？

ほとんどの人は、自分の話なんて他人に聞かせる価値がないって考えるだろうし、そう信じているだろう。人生の汚点は覆い隠して、なかったことにするだろうし、ましてそれを他人の目にさらすことなんてしない。人に知られたら、恥だから。

そんな価値観を当然だと考える社会を、私は心の底から恥だと思う。

すべての個人的なストーリーや、家族の物語というのは、そもそもその当事者に限ったことではない。言葉に出しづらい過去の体験は、その人の生きてきた時代や、ある種の社会的価値観における問題や病理といったものを反映しているのだ。

映画でも本でも、私は苦難に満ちた不幸なお涙頂戴物語を語るつもりはないし、困難を乗り越え、底辺から這い上がる感動のサクセスストーリーだと思われるのは、もっと不本意だ。私が映像や文字で記録したものを通して、皆さんに見つめてほしいのは皆さん自身だ。自分の傷を直視し、なぜつまずいてしまったのかを考え、不幸にも出会ってしまった出来事にも何らかの意味があるということを受け入れ、そこから立ち直る力が皆さんの中に残っていることを、知ってほしい。

どの映画も、エンドクレジットに長い長いスペシャル・サンクスが出てくるが、この本を出すにあたっても、いろんな方にお礼を伝えたい。物事を成し遂げる裏側には、表からは見えないところにたくさんの人が存在するものだ。この本を出版するにあたり、まずは多大なる支持を下さった遠流出版社に感謝を申し上げたい。かわいくて素朴で、共同購入に私を誘ってくれた五階の編集部の皆さん。そして明雪《ミンシュエ》編集長、「この物語は読んでもらえる」と信じてくださったことに感謝します。きっちりと、でも温かく原稿の催促をしてくださった編集の孜懃《ジーチン》さん。ぼーっとしてしまう午後に頭をシャキッとさせてくれる甘いものを差し入れてくれた曼霊《マンリン》さん。そして私を勇気づけるたくさんのコメントを著名人から集めてきてくれた珮如《ペイルー》さん、本当にありがとうございました。

出版社を訪問するのに付き添ってくれた阿傑《アージエ》と恬恬《ティエンティエン》は、私よりもずっと情熱を注いでくれたね。我が家の物語を本のかたちにできるなんて、本当に思ってなかったよ。賽瓶文化の亜君《ヤジュン》社長、書籍化のきっかけを下さったことに感謝申し上げます。

お母さん、私の記憶を補完してくれてありがとう。そしてしょっちゅう「書けた？」と聞いてくれた妹にも、感謝を。娘はいつも変わらず愛嬌を振りまき、甘えて、原稿の進みを遅らせることで、私が仕事に没頭しすぎてあなたとの時間をないがしろにしないようにしてくれたよね。

この世界に、そしてあらゆる悲喜こもごもの経験にも感謝を。

そしてこの本を開き、お読みくださる読者の皆さまに、感謝いたします。

目次

第一章

同性を愛する私の母・阿女《アヌ》

「奉香拝請　香煙采起　神通萬里　香煙沉沉　請眾神降臨――全知全能の神よ、お香を捧げますので、どうぞおわしませ。本日江氏の妻・黄夫人のご霊前に、ご家族が私ども牽亡歌団を遣わせました。山を越え橋を渡り、あなたの御霊《みたま》を西方の極楽世界へとお連れいたします。御霊よ、祭壇の神と共に直ちに旅立ちたまえ」

幼い頃からずっと耳にしてきた。牽亡歌陣の紅頭法師による口上だ。

牽亡歌陣とは台湾固有の葬式陣頭[1]で、私の実家は、近い将来消滅してしまうであろうこの土着の葬儀文化に携わってきた。そして私は六歳から二十歳まで、この家業に身を投じていた。

そう、私が金を稼ぎ始めたのは六歳の時だ。

物語は私の母のことから始めよう。

母・阿女

母の名前は月女《ユエニュー》というが、母をよく知る人たちは皆、阿女《アヌ》と呼ぶ。月と女。いかにも女性的な名前だが、実際に私の母に会ってみれば、本人と名前とのギャップに驚くだろう。

一九五六年、私の母は雲林県北港鎮の片隅に隣接する小さな農村に生まれた。見渡す限り広がる水田と落花生畑。当時、田畑で育てられていたのは正真正銘の農作物だったし、そこに建つ家は假農舎[2]ではなく、暮らしていたのも正真正銘の農家だった。隣家まで歩いて五分はかかるだろうか、延々と広がる、青々とした田畑の中に、ぽつりぽつりと家が建っていた。夏に響き渡るクマゼミやクサゼミの鳴き声と、村の人たちが信仰する春姑婆[3]を祭る廟で年に一度開かれる祭りの日を除き、村は静けさに包まれていた。

母には姉が二人と兄が二人、そして弟が一人いる。ほかにも何人かきょうだいがいたらしいが、すでに亡くなってしまったので、母は六人きょうだいの五番目だった。隣近所が皆そうしているように、母の家も所有する小さな田畑を耕し、米やトウモロコシ、落花生を育てて生計を立てていた。収入はごくわずかで、六人の子供たち全員を学校に通わせるような余裕はなかった。さらに男尊女卑が当たり前だった時代で、女の子は小学校にすら通わせてもらえなかった。

ところが、母だけは、一家の女の子の中でただ一人、小学校に通うことができた。母が学校に通えたのは、二番目の姉のおかげだった。母とは十歳ほど年の離れた二番目の姉は、年端も行かぬ頃から台北の工場に女工として働きに出されたので、学校で勉強したことがなく、読み書きができなかった。学校に行けないということがどういうことかを身をもって体験した彼女は、それが社会に出てからいかに不利でつらい思いをすることになるかを両親に切々と訴え、妹の阿女だけは学校で勉強させるように頼み込んだ。父親が一時的に心を動かされたのか、それとも次女が一家の家計を助けていたので、それなりの発言権があったのか、理由は分からない。だが、二番目の姉の陳情は割とすんなり受け入れられ、母は一家の女子で初めて、村の小学校に通えることになった。

　母はきょうだいたちとそれほど交流がないし、私もおじやおばたちとは疎遠にしていたので、母の二番目の姉、つまり私の二番目の伯母が、どうしてそれほどまで強く女の子にも教育を受ける機会を与えるようにと主張したのか、詳しいことは分からない。だけど、私は心から彼女のことを尊敬している。あの時代に伯母が主張し、勝ち得たものは、正しく、そして大事なことだ。教育を受ける機会は、すべての者に与えられるはずであり、それは時代や場所、それに性別で区別されるべきではない。

　だが、生来の勉強嫌いだった私の母は、男きょうだいと同じようにカバンを背負って学校に通えるようにするために、二番目の姉がどれほど大変な思いをしたのか、分かっていなかったらしい。当時のことを尋ねても、返ってくるのはおおよそ学校とはまったく関係のないことばかりだった。

伝統から外れた女の子

子供の頃の母は、五、六歳離れた二番目の兄、そして弟と一緒に遊ぶことが多かった。母と一番上の姉はちょうど二十歳、一番上の兄と二番目の姉とはそれぞれ十数歳離れていたが、二番目の兄と母、そして弟の三人は歳が近かったので、学校が休みの間は一緒になって村を隅から隅まで走り回っていた。よその畑で成長途中のサツマイモを盗み、マンゴーの木に登り、熟す前の青い実を地面に叩き落とし、溜め池でカエルを釣り、田んぼ端でコオロギを捕まえ、隣村の子供たちを追い回したり、追い回されたりしていた。

学校が始まると、比較的聞き分けの良かった二番目の兄は学校に通い、まじめに勉強していたが、母と弟は今度はカバンを背負ったままいろんなところを走り回っていた。勉強道具が入っていないはずの弟のカバンは、ほかの子供のカバンより重かった。弟のカバンには、拾い集めてきたいろんな形の、大小の石と、お手製の石投げ用のパチンコが入っていたからだ。弟はそれを使って、林の中で小鳥を捕まえていた。一方、母のカバンは、おやつ用にこっそり摘んだり、掘ったり、抜いたりした農作物を入れるために、常に空っぽにしてあった。

農作物を盗み食いし、怒った農家の人に追いかけられるくらいしか、村の生活には楽しみも刺激的なこともなかった。当時の母は何を考えていたのか、どこからか手に入れたマッチで豚小屋にこっそり火をつけ、それから素知らぬふりをして、ほかの子供たちと一緒に慌てふためく大人たちを遠巻きに見ていたこともあった。「パニックになって走り回る豚を見るのは、すごく興奮したし面白かったんだよ」。母が火を放った豚小屋は一か所だけではなかったが、豚が無事だったのは不幸中の幸いだ。

　母は学校であまりまじめに勉強していなかったにも関わらず、テストの成績はほどほどに良く、五十人クラスでいつも十番台を維持していた。後ろから二番目だった弟に比べれば、母はきょうだいのなかでも比較的出来のいい子だったと言えるだろう。だが、きょうだいに比べて出来が良かったからといって、母が学校に行って勉強する期間が長くなるわけではなかった。小学校を卒業した母は、家事や農作業を手伝うために進学させてもらえなかった。勉強を続けるということは、いたずらに家計を圧迫するだけではなかった。学歴があると、女の子は大きくなってから嫁のもらい手がなくなると懸念されていたのだ。

　農村に生まれた女の子には、台所仕事をするか農作業を手伝うしか道はなかったが、母はそのどちらにも向いていなかった。そのせいか、母は父親（祖父）にかわいがられることもなく、その上、村では問題ばかり起こしていたので、毎日のように祖父に追い回されては打たれていた。母に言わせれば、祖父は気まぐれで短気で、極端な男尊女卑の考え方の持ち主だった。六人いる子供のうち、男の子三人には祖父が自ら小遣いを渡していたが、女の子たちが祖父からもらえたのは、大変な家事労働や野良仕事だけだった。

　祖父が怒り出し、打たれそうな気配を察すると、母は素早く家の外に走って逃げた。収穫した米や落花生を天日干ししている家の前庭をすり抜け、さらに遠くのサトウキビ畑まで駆けていき、身を隠した。そうでなければ大きな木を探し、祖父に見つかっても捕まらないくらいの高さまで登ると、木の上に腰かけ、田畑で農作業をする母親（祖母）が仕事を終えるのを待った。そして祖母がゆっくりと歩いて家に戻る姿を確認してから、母も木から降り、祖母と一緒に家に帰るのだった。

　母の人生の中で、母のことを一番大切にしてくれて、母が一番頼りにしていた人物を強いて挙げるなら、それはたぶん祖母だったのだろう。

　祖母は母のことをかわいがり、ほんのわずかではあったけど、いつも祖父に内緒でこっそりと小遣いをくれた。母には畑の力仕事も滅多にやらせなかったし、母を追い回して叩こうとする祖父から、母のことをいつだって守ってくれたそうだ。それははたから見れば、たわいもない些細なことだったかもしれないが、母がそれをよりどころに祖母に全幅の信頼を寄せ、自分は祖母に愛されていると確信するに十分だったことが、私にはとてもよく分かる。一生の傷になってしまうようなことも、人生の支えとなる「愛されている」という実感も、往々にして他人から見ればどうってことのないちょっとしたことがきっかけになる。そのとても小さなカケラは心の奥深くにある隙間に潜り込み、しっかりと記憶されるのだ。

そして祖母に次いで、母の中で存在感が大きかったのは、母の祖母（曾祖母）だった。

男尊女卑主義の祖父からは小遣いをもらえなかったが、母には小遣いを手に入れる方法があった。小ざかしい知恵を働かせて弟（叔父）から小遣いを巻き上げること以外に、気合を入れて自転車を漕ぎ、隣村に住む曾祖母を訪ねるという手があったのだ。曾祖母は優しい人で、会いに行くと、くたびれて破れてしまった服を、一針一針丁寧に繕ってくれた。曾祖母はとても忍耐強い人でもあった。だが母が曾祖母を好きだった理由は、遊びに行くと必ず小遣いをくれたからだ。ある時は二銭、ある時は三銭、と、性別や年齢で差をつけることなく、曾祖母は六人の兄弟姉妹全員に、平等に小遣いをくれた。

曾祖母の家から戻る母に、曾祖母はポケットの中で鳴り響く小銭に加え、おやつも持たせてくれた。一番多かったのは白麺線だった。沸騰したお湯で、ただ湯がいただけの真っ白い麺線は、母の大好物だった。毎日、毎食、家で細切りのサツマイモばかりを食べさせられていた母にとって、味付けのされていない白麺線は、ただそれだけで大変なごちそうだったのだ。母にお小遣いや麺線をくれたことが、母が祖母に次いで二番目に曾祖母が好きな理由だった。

母と弟が村の小学校で読み書きを習い、幼少期の後半を過ごしていた頃、一番上と二番目の姉は若くして嫁いでいき、次々と子供を産んだ。一番上と二番目の兄も、中学を卒業すると村を離れ、北部の都市で建設作業員として働き始めた。母も、本来ならば兄姉たちと似たり寄ったりの道を、一歩ずつ追うはずだった――彼女が女性を愛することなく、また、嫁いだ相手が酒乱で家族に暴力を振るう男でなかったのならば。

そうでなければ母の人生はまったく違うものになっていたはずだ。

そして、私の人生もまた、まったく違うものになっていたと思う。

阿女、社会に飛び出す

一九七〇年。十四歳になった私の母は、近所の同じくらいの年の子たちと一緒に北港の実家を離れ、台北で働き始めた。最初の仕事は、新荘の中正路にあった紡織工場での見習い工員だった。

当時の台湾は紡織業が全盛期で、外貨を稼ぐ輸出産業の重要品目だった。紡織工場は大量の雇用機会を創り出し、南部の農村から東部の原住民部落に至るまで、各地から大勢の若い女性たちが見習い工員として台湾北部の工場に集められた。

台北の工場に就職したての頃、来る日も来る日も母親のことが恋しくて、母はしょっちゅう布団を頭からかぶって泣いて過ごした。そしてこっそり工場を抜け出し実家に戻っては、家族に促されて台北に戻ることをたびたび繰り返した。実家に戻るたびに、田舎の農村には働き口がないし将来性もないから、お前がこの土地に留まっても家族の負担が増えるだけだ、と説得されたのだ。

台北と北港を何度も行き来しながら数年が過ぎ、十九歳になった母に人生で初めて恋人ができた。ようやく落ち着いた母は、それからは毎日のように実家を恋しがることもなくなった。紡織製品の輸出量がピークだった当時、端午の節句や中秋節、それに旧正月を除いて、工場は昼夜を問わず無休で稼働していた。工場内では女の子たちが機械に囲まれながら貴重な青春時代を費やし、外貨を稼ぐための製品を造り続けた。製造ラインの仕事にすべてを捧げる女の子たちは、休暇ともなると大挙して遊びに出かけ、日々の過酷な労働のストレスを発散させたり、地元とはまったく違う都会の風景を楽しんだりした。

私の母が工場の仲間たちと連れ立ってよく遊びに行ったのが、工場の近くにあった廟前の広場だった。そこに行けば歌仔戲《コアヒ4》の野外公演を無料で楽しむことができたからだ。金のかかる娯楽や観光施設、映画館と比べても、金を払わなくても楽しむことのできる歌仔戲は、懐に余裕のなかった彼女たちにとって、都合のいい時間潰しだった。

母が最初の恋人と知り合ったのも、廟の広場で歌仔戲を見ていた時だった。その時、母は観客で彼女は舞台の上で美しく着飾った役者だった。

舞台役者との馴れ初めを、母はあまりはっきりとは教えてくれない。だがおおよそこんなふうだったようだ——あれは夏のことだった。歌仔戲の野外舞台を見に行くときはいつも、白い上着に白い長ズボンでおしゃれしてビシッと決めていた母は、全身真っ白い雪のようで人目を引いていた。ところがある日のこと、上演の最中に突然雨が降り始めた。舞台には庇が付いていたので、舞台上は雨が降っても濡れることはないが、屋外に設置された客席には雨を遮るものが何もなかった。舞台に立っていた一人の若い役者が雨に濡れやしないかと心配して、母の元に傘を持ってきてくれ、おかげで母はその日の舞台を最後まで楽しむことができた。

やがて舞台は幕を閉じたが、雨が降りしきる中、今度は舞台の下で新たな物語の幕が明けた。

舞台を見終わった母が傘を返しに行くと、その若く美しい役者は傘をそのまま母に持たせ、さらに彼女の電話番号と住所が書かれた紙きれを母に渡してきた。そんなわけで母と彼女は電話で愛をささやきあうようになり、一年もたたないうちに母が工場の宿舎を出て、彼女の家に転がり込んだのだった。

母と彼女は年が近かった。二人が知り合った時、母より二歳年上だった彼女はまだ二十一歳の若手の舞台役者で、両親と一緒に暮らしていた。面白いことに、彼女の両親はある日突然見知らぬ若い娘がやって来て「ここに住まわせてください」と言われたのに、あれこれ詮索することもなく、嫌な顔ひとつ見せず居候させてくれたそうだ。そしてしょっちゅう煮込み料理を作っては、体に良いからと母たちに食べさせてくれた。

母と彼女が一緒に暮らした約二年の間、彼女が舞台に立つときは、母も必ず一緒に行って、舞台の下から彼女のことを見守り、終わると二人で一緒に帰宅した。その頃の母は、再び工場で働くつもりがなく、紡織工場での工員時代に貯めた金を切り崩しながら生活していたが、住むところも食べる物も彼女の実家が提供してくれていたので、実際はほとんど金を使うこともなかった。思うに、この頃が私の母の人生で唯一の、いわゆる「ジゴロ」の状態だった。というのも、それ以降の恋人との交際では、母が金を支払い、恋人を養う「パパ」となり、恋人に面倒を見てもらうことはなかったからだ。

母の最初の恋人は歌仔戯のお客さんの間で人気があり、ファンも多く、平日の舞台がないときには地方からやって来たファンに、食事や遊びの誘いを受けていた。最初の頃は自分が一緒だとファンがやきもちを焼くからと、恋人の帰りを家で待っていた母だったが、やがて彼女が遊びに出かける回数が増えてくると、母と彼女は些細なことで口論するようになり、いったん機嫌を損ねると、数日間は互いに口をきかない日が続いた。そんなときは彼女の母親が二人をなだめ、二人は仲直りするのだった。

喧嘩をしても仲直りしていた二人だったが、仲たがいの原因を根本から解決することができず、そのうち二人の間に生じた亀裂は自然に元に戻らなくなってしまった。それは恋愛面に限ったことではなかった。そんなある日、いつものように喧嘩を始めた二人は後に引けないところまでヒートアップしてしまった。母は彼女がプレゼントしてくれた洋服から指輪まですべてのものを彼女のベッドの上にきちんと並べると、とうとう彼女の元を去る覚悟を決めた。一年余り続いた初恋は、母が二十一歳の時に終わりを告げた。そして仕事もなく、金も愛情も失ってしまった母は、北港の実家に戻り、両親を頼るしかなかった。

初恋の終わり、結婚生活の始まり

一九七〇年代の農村にとって、二十一歳の独身女性というのはやっかいな存在だった。結婚していないということはつまり、将来面倒を見てくれる相手がいないというだけではなかった。未婚の娘は、近所のおばさんたちの格好のゴシップネタだったのだ。大方の予想どおり、地元に出戻った母を待ち受けていたのは、家族からの「結婚しなさい」という期待とプレッシャーだった。

祖母は嘉義に住む祖父方の大おばを訪ねるという名目で、母を見合いに連れ出した。相手は阿源《アユエン》という男で、母より五歳年上の客家人《ハッカ》だった。初めての顔合わせは、母と見合い相手の阿源のほか、祖母、大おば、そして二番目の兄（伯父）、さらに阿源の家族という、大勢が見守る中で行われた。ひと目見た時から、阿源に対する母の印象は良くなかった。醜く凶暴そうな面構えと残忍な目つきに、いい人ではないと予感したが、「人は見た目で判断できないし、性格が優し過ぎる男性は社会でカモにされてしまうから、あながちいいとも言えないのだよ」と兄は言った。

見合いの席で母以外に阿源に対し不満を抱いた者はいなかったので、二人は二度目に会った時に籍を入れた。こうして今度は阿源と一緒に北部での生活を始めることになった。

母が当時この結婚を拒まなかったのは家族が彼女の背中を押したからだが、別れた恋人への当てつけもあった。

母と恋人は破局後すぐに、それぞれ別の人と結婚した。それから数年たって、再び連絡を取り合うようになり、どちらも結婚生活がうまくいっていないことが判明したのだが、当時は相手に何かしてあげようとか、状況が改善するように手助けしてあげようという余力は、互いに残っていなかった。

結婚は思い描いていたものとは違っていたが、それでも新婚の母は現実を受け入れようとした。塗装工として各地を飛び回り仕事をする阿源が、仕事に打ち込み金を稼げるように手助けをすれば、将来的には自分たちの家を構えることができるかもしれない、と考えてみた。「家族や子供たちを養ってくれるのなら、一生添い遂げてもいいと思ったんだ」と母は言う。ほかの女の人と同じように、男性に養ってもらう人生は気楽で簡単だし、ややこしくなくていい——たとえ、心から愛せるのは女性だと自分で分かっていたとしても。

幸か不幸か、母が嫁いだ阿源は、母の思い描いたタイプの人間ではなかった。

結婚して間もなく、阿源が大変な酒飲みで博打好きな上に、ろくに働こうとしないことが分かった。さらに悪いことに、阿源の気性は母の父以上に荒く、切れやすかった。しょっちゅう酔っぱらっては、大声を上げて母を口汚く罵り、遂には母に手を上げることも珍しくなくなっていた。だが母は夫から暴力を振るわれていることを、祖母に知られまいとした。実家の両親にだけは心配をかけたくなかったのだ。しかも母のお腹の中にはすでに私がいた上に、母には頼れる当ても助け合える仲間もいなかったので、ただひたすら一日一日を耐えるしかなかった。

母は結婚した翌年に私を産んだ。二十二歳の時だった。出産後は赤ちゃんを連れて工場で働くわけにはいかなかったので、夫に建設現場で塗装工の仕事を続けてもらうしかなかった。母は家に籠り、私の世話をするのに手一杯だったので、夫がまじめに働いて、家計を支えてくれるようになることを期待するしかなかった。

だが母の期待が現実になることはなかった。父には親になった自覚も、一家の大黒柱である認識もなかった。以前と変わらず、すっからかんになるまで酒を飲み、ギャンブルに勤しんだ。塗装工の仕事を二日やっては日銭を稼ぎ、それをすべて酒場と賭場に落としてきた。

しばらくの間は、同じく北部に出稼ぎに来ていた三人の姉兄（伯母伯父）から金を借りて、何とか母と私の糊口をしのいだが、それも長くは続かなかった。それぞれに事情を抱えた姉兄にずっと頼るわけにもいかなかったのだ。母は妹を産んだ後、自分が働いて金を稼ぐしか私たち母娘三人が生き延びる方法はないと考えた。

亡魂を弔い、家族を養う

母は私と妹の面倒を見てくれる子守りを近所で見つけてきた。月決めの保育料は高くて支払えないので、仕事のある日だけ私たちを預け、工員時代に知り合った友人と一緒に、葬式で民俗芸能を演じる牽亡歌陣で働くことにしたのだ。

工場で働いていた頃、母はしょっちゅう廟前の広場に歌仔戯《コアヒ》を見に行っていたのだが、その時に出会ったのが牽亡歌陣の仕事だった。ある時、舞台の周辺で女の子たちに牽亡歌陣を学びながらアルバイトしないか、と声をかけられたので、母はほかの子たちと一緒にその仲間に加わることにした。だが牽亡歌陣の仕事を覚えるのは、思っていた以上に大変だった。唸歌《リャムコア》[5]の歌唱法を学び、せりふや口上を覚えなければならない上に、ブリッジや開脚、とんぼ返りのような分かりやすく言えば雑技団のような技も要求されるのだ。スカウトされてやって来た女の子たちは、次々に音を上げて去っていき、冷やかしで来たはずの母が最後まで残った。母は基本的な動作を習得すると、しばらくの間、牽亡歌陣でアルバイトしていた。

牽亡歌陣の仕事は毎日あるわけではなく、拘束時間の割に実入りがいい。さらに都合のいいことに、仕事をしたその日のうちに現金を手にすることができたので、日々の生活費に困っていた母にとってこれほど条件のいい仕事はなかった。やがて私が四歳に、妹が二歳になり、自分の足で歩けて、一人でご飯を食べられるようになると、母は私たちを牽亡歌陣の仕事に連れて行くようになった。そうすることで、日払いしていた子守り代を節約することができた。

牽亡歌陣の仕事があるときには、母はスクーターの後ろに妹を座らせ、母とハンドルの間のステップに私を立たせると、母娘三人で中和の自宅から集合場所の萬華《ワンファ》にある団長の家に行き、そこで他の団員と合流して、その日の現場へと向かった。陣頭の演目を始める前に、母は背もたれのない腰掛けを二つ、喪家の席の傍らに用意し、私と妹に駄菓子を持たせて座らせた。私たちはそこでおやつを食べながら、おとなしく母の仕事が終わるのを待った。

それからさらに二年がたち、六歳になった私は、現場の片隅でおとなしく母の仕事が終わるのを待つ組から、最年少のパフォーマーとして牽亡歌陣に出演する組へと進んだ。

母が覚えさせたのか、それとも私が自分からやり始めたのか、今となっては記憶があいまいなのだが、母や他の団員たちのする開脚やブリッジ、側転を何となくまねて体を動かし始めたのは、ごく自然なことだった。社会の底辺で育つ子供は、家が夜市に店を構えていれば、親と一緒になって客の呼び込みをするようになるし、食堂を営んでいれば、皿を下げるようになる。それは理屈ではなく、彼／彼女らにとって生活の一部だからだ。

　牽亡の踊りを私が覚え始めた最初の年、母が所属していた陣頭は人手が足りていたので、母は私を別の陣頭に送り出した。私が覚えているのは、派遣先の陣頭を率いる団長夫妻が台北橋の近くに住んでいて、団長の奥さんの名前が阿蓮《アリエン》だったこと。そして、団員をまとめる阿蓮さんの声がハスキーだったこと。そして彼女が細かな事をあまり気にしないおおらかな性格の持ち主で、私にもとても良くしてくれたということだ。阿蓮さんに初めて会った時、母は私に「阿蓮母さん」と呼ばせたが、阿蓮さんと母の仲が特別良かったわけではなかった。母は母の女友達のことを、その人が既婚だろうが未婚だろうが、私に「○○母さん」と呼ばせた。阿満《アマン》母さん、淑美《シューメイ》母さん、妮妮《ニーニー》ママ、阿醜《アチョウ》母さん……。それは、彼女たちに自分の娘の面倒を見てもらうための、母なりの生存戦略だったのかもしれない。

　その頃の母は、仕事の依頼が来ると私をスクーターに乗せて先に台北橋に送り届け、それから別の陣頭で仕事をするために萬華に向かっていたのだが、やがてそれが面倒になった母は、自分の牽亡歌団を結成することにした。よその陣頭で何年も経験を積んできたので、仕事の段取りは心得ていた。自分が団長になれば、仕事の依頼があるたびに他人の家に集合する必要がなくなり、自宅に団員たちが集まるのを待てばよかった。

起業と事業

牽亡歌団の結成は、実はそれほど難しいことではない。数万元を資金に、スピーカーとマイク、アンプ、そして三弦琴と法師の持つ道具や楽器を買いそろえ、儀式の要となる棚轎《ボンジャオ》[6]、舞踊者の衣装などをオーダーメイドすれば、機材は準備完了だ。それよりも、新たに立ち上げた団に所属してくれる人員を集めることの方が難しかった。

牽亡歌団は六人から成る。前場舞踊者が三人、法師一人、三弦琴奏者一人と、あとは運転手だ。三人の前場舞踊者はすんなり集まった。母と私、それに同じように牽亡歌団で仕事をする仲間の妹に、うちに来ないかと声をかけたのだ。これで舞踊者はそろったが、法師と三弦琴奏者を探すのは大変だった。この二つの役割は、儀式を執り行う際に、唄をうたい口上を唱えるというとても大事な役割を担うので、誰でもいいというわけにはいかないのだ。牽亡歌団の儀式の流れややり方がきちんと分かっていて、さらにそれをこなせる人物でなければならなかった。

当時の母の知り合いは、ほとんどがどこかの陣頭に正式なメンバーとして所属していた。陣頭のパフォーマーというのは、いわゆる芸能人のように契約書を交わして仕事をしているわけではないのだが、団長と団員の間には暗黙の決まり事のようなものがあり、双方によほどの不愉快な出来事や、やむを得ない事情が生じない限り、団員が突然団を辞めたり、他の団に移ったりするようなことはあり得なかった。最終的に母は高いギャラを提示して、他の団から法師と三弦琴奏者を引き抜いてきた。貴重なメンバーを迎え入れ、母は自分の牽亡歌団を正式に設立した。シンプルな白地の名刺には、大きく「阿女牽亡歌団および各種陣頭」の文字と、中和にある自宅の電話番号を載せた。その日から、当時二十八歳だった私の母には女性経営者という肩書が加わった。

ビジネスを始めたからにはそれが何であれ、金を稼ぐためにそれ相応の付き合いが不可欠となる。葬式陣頭も例外ではなく、牽亡歌団を立ち上げてからというもの、母は以前にも増して家を空けることが多くなった。他の陣頭を手伝っていた頃は、団長からの出陣の連絡を受けてから仕事に出れば良かったが、自分が団長になってからは、出陣しないときでも家の外で「仕事」をしなければならなくなった。ただし、その仕事というのは、相手——つまり陣頭の仲介人である葬儀社の主人によってさまざまだった。おしゃべりをし、お茶を飲み、たばこをすすめる。ビンロウを嗜み、それから象棋麻雀《シャンチーマージャン》の相手もした。場所は葬儀社の中でなければ、葬儀社街からそう遠くない中和大廟の門前だった。

母が生涯をかけて取り組む事業の方向性を決めたのは、この頃ではないだろうか。

それは牽亡歌陣のことではない。母にとって陣頭は生計を立てるための手段の一つに過ぎなかった。

勝負があっという間に決まる象棋麻雀こそが、母にとって一生を捧げるべき一大事業となったのだ。

母の左手薬指の側面には、黒々とした痣《あざ》がある。占い師に見てもらった時、これは、身に着けたいと思う技術を素早く上手に自分のものにすることができる、とても縁起の良い痣だと告げられたそうだ。霊も神も一切信じない母だが、占い師のその言葉だけは素直に受け入れた。独学で牽亡法師になれたのも、象棋麻雀のルールをすぐに覚え、上家下家がどの牌を待っているのかが分かるようになったのも、すべて左手薬指の痣のおかげだと母は信じていた。

象棋麻雀を覚えたのは、葬儀社の主人たちと対等に付き合うためだった。始めたばかりの頃、母は勉強代とばかりに少なくない賭け金をつぎ込んでいたので、葬儀社の主人たちからは恐れ知らずの新参者として、好意的に仲間に加えてもらえた。だが、もともと呑み込みの早い母は、金を賭けつつゲームを覚え、しばらくすると、だんだんと麻雀仲間の癖が分かってきた上に、テンパイ気配を見抜けるようになった。やがて始めたばかりの頃から状況は一変した。母は次第に勝率を上げていき、負けることが少なくなり、しまいには「金稼ぎのアヌ」というあだ名をつけられるまでになった。賭博は金を稼げる。それに他のどんな仕事と比べても、気楽だし労力もいらなければ、大変な思いをする必要もない完璧なものだということを、母は悟った。

賭博、といえば父のことを思い出さずにはいられない。

一日中賭場に入り浸っていた父の、「賭博好き」のレッテルの背後には、妻子に良い暮らしをさせるためにもっと金を稼ぎたい、という気持ちはあったのだろうか？　運に見放された父は、負けが込むと、それを挽回しようとしてさらに金をつぎ込んだ。そしてつぎ込めばつぎ込むほど、家族に対する面目は失われていき、その悪循環が極限まで達した頃には、すでに取り返しのつかない奈落へと落ちていた。そこは身を翻すことはおろか、這い出すこともできないくらい深い、奈落の底だった。

どんなに善良な人間でも、運に見放されれば人は落ちていく。母の運命も決して良いものではなかったが、母にほんの少しの幸運を残してくれた。だから私はその運命に感謝しなければならないのかもしれない。

母は時々、賭博の現場に私と妹を連れて行った。母と葬儀社の主人たちが麻雀を打つ間、私と妹はそこの子供たちと一緒にままごと遊びをしていた。それは一見するとどうってことのない風景だったが、カメラでズームアップすると、虚無的なユーモアに満ちた、フィルムノワール的な光景だったと言えるかもしれない。

葬儀社の店内にはいろんな色や材質でできた骨壺や、大小さまざまな供花や缶タワー[7]、ご先祖様を祭る牌に招魂の儀式に用いる旗、紙でできた金童・玉女の小さな人形などの各種祭壇関連の物、そして主力商品である手作りオーダーメイドの棺桶まで、ありとあらゆる商品が所狭しと並んでいた。場所を取る棺桶は、店の中央に置かれた二基を除き、ほかはすべて上蓋を付けた状態で壁に立て掛けられ、店内をぐるりと取り囲むように陳列されていた。中央に置かれたうちの一基は、ちょうど外側が塗られ内部に緻密な細工が施されたばかりの、近いうちに出荷される棺桶で、もう一基は上蓋が付いていない状態で長年そこに置きっ放しの、上塗りのされていないものだった。葬儀社の主人は、まだ歩き回ることのできない乳幼児を、上蓋のない棺桶の中に寝かしたり、そこで遊ばせたりしていたので、棺桶はまるで木製のベビーサークルのようだった。供養に用いる小さな紙製の人形はベビーサークルの中でバービーとその恋人のケンの代わりとなり、幼子たちを楽しませていた。

そんなふうに、店内のほとんどのスペースは棺桶に占拠されていたので、大人たちが麻雀用のテーブルを出すたびに店に残っていた空間はなくなってしまい、子供たちは、立て掛けられた棺桶と棺桶の隙間で、気を使いながら遊ぶしかなかった。ちょっとでも動き回ろうものなら、大人たちに「棺が倒れて、ぺちゃんこに潰れるぞ」と大きな声で怒鳴られたので、そのたびに子供たちはびっくりして声をひそめるのだった。

葬儀社の主人たちと一緒に過ごす時の母は、いつも楽しそうに見えた。口数も多く、朗らかで、家の中にいる時の、黙りこくった母とはまったく違っていた。だが大声で笑っているからといって、母がその状況を心から楽しんでいたかどうかは分からない。母は廟会[8]の陣頭に登場する、大きなお面の三太子[9]のようだった。口を開け、笑顔を浮かべた大きなお面の中に入っている演者がどんな表情をしているかなんて、外からは分からないのだ。

母がせっせと接待に精を出した甲斐があったのか、それとも私たちのパフォーマンスが評価されたのか、我が家の牽亡歌陣の経営は次第に安定していき、母が葬儀社で麻雀接待に勤しむ回数は減っていった。やがて葬儀社の主人たちから代金を回収するのに、母は私を葬儀社へよこすようになった。私が金の回収をしてくる間、母は家のテレビで大好きな歌謡ショー「猪哥亮《ジューガーリャン》歌廳秀《ガーティンシウ》」を見ながら、私の帰りを待った。

母は私が回収してきた金を受け取ると、ベッドの上に座り、ギャラの分配をした。まず、全部でいくらあるかを確かめ、私が金額を間違えることなく回収してきたかどうかをチェックした。

それから団員の役割に応じて紙幣を分けた。もちろん私たち母娘の分も、この時に取り分けた。それから、分けたギャラを一人分ずつ輪ゴムでしっかりと留めた。そして自分たちの分は、紙幣を金種別に分けると、二百元札、五百元札、千元札はそれぞれ小さく畳み、家のあちらこちらにしまい込んだ。達新《ダーシン》印のビニールカバー付きハンガーラックの中や、木製のサイドテーブルやベッドの枕元の棚、ある時はベッドのフレームやフレームとマットレスの間に隠すこともあった。いつも、いろんなところに隠したので、母本人でさえも、どこにしまい込んだのか分からなくなってしまい、家じゅうをひっくり返して捜し回ることになるのだった。

　母がどのようにギャラを分配していたのかは分からずじまいだが、母がどうして私たち母娘の取り分を家のあらゆる場所に隠す必要があったのかは、私にも理解できた。

　二人の子供を抱えた母に、父が生活費を渡すことはなかった。そして母が牽亡歌陣を結成し、自分で金を稼ぐようになると、今度は母に金を無心するようになった。

　暴力を振るい、母を脅して、手元に置いてある現金や銀行の通帳と印鑑の一切合切を取り上げたのは一度や二度ではない。母がコツコツと苦労して銀行口座に貯めた金も、結局は残らず全部、父の賭博や酒代に消えてしまい、そのたびに母は再び無一文状態になった。どんなに家から離れた銀行にお金を預けたところで安全ではない。経験から学んだ母は、貯金することをあきらめ、現金を小分けにして家じゅうの至る所に隠し、運が良ければその中のどれかが手元に残った。

牽亡歌陣の仕事が順調だった頃、母は夜市の宝飾店で金のアクセサリーを買い、現金と同じように家の中に隠し、私と妹にも着けさせた。私たちに持たせたのは、赤い糸に金製のペンダントヘッドが付いた首飾りだった。ペンダントヘッドを服の下に隠してしまえば、はた目には子供がよく首からぶら下げている赤い糸の付いた、廟のお守りのように見えるので、どこに隠すよりも安全だったのだ。

金の値打ちは安定しているからと、母は現金があるときは金を買い、現金が足りなくなると金を売り現金に換えた。金の価格が低いときに買い、価格が高くなったら売ることもできただろうが、母にそんな考えはなかった。母が必要としていたのは、父に一度にすべてを持ち去られないための、リスクの分散だったからだ。

母が隠しておいた現金や金目のものを父が持ち出したことが発覚するたびに、私と妹に緊張が走った。母もかなり気が短く、すぐにカッとなっては私や妹を狂ったように打ったのだ。竹枝やスチールハンガー、プラスチック製のホース。母は何だって私たちを打つための道具にした。竹枝が折れ、ハンガーが曲がるまで、怒りは母を狂った獣に変え、まるで母に父が憑依したかのようだった。私たちは泣きながら地べたにうずくまった。しばらくすると、母は徐々に人間性を取り戻した。そして泣きながら私たちの体にできた傷に薬を塗り、私たちが唯一頼ることのできる母親へと戻るのだった。

暴力は病原菌のようなものだ。拡散するし、伝染するのだ。

逃避の必要

スパイ同士が攻防を繰り広げるような、常に緊張にさらされた落ち着かない生活に耐えられる者などいない。母はそんな生活を十年間我慢したあと、遂に父の元から離れる決心をした。家を出る準備には、大して時間はいらなかった。何も準備することなどなかったからだ。母が唯一必要としたのは、誰を連れて行くかを考える時間だった。

母はもともと、自分一人で家を出るつもりでいた。貯金もなければ、明るい未来もない状態で私と妹の二人を連れ出しても、母娘三人がたどり着くのは、やはり悲惨な結末しかないと考えたからだ。だが、娘たちを置いていけば、二人とも間違いなく不幸なことになるだろう。それじゃ、どちらか一人だけを連れて行くのか？　子供一人なら母でも養うことができるかもしれない。でも、残された方はどうなる？　あらゆる可能性を考えに考えて母がたどり着いた結論は、私と妹の両方を連れて行くことだった。生活が立ち行かなくなったら三人で一緒に死ねばいい。それならば後ろ髪を引かれることもないだろうと考えた。

先行きが見えないのは恐ろしいことには違いないが、最悪の事態を想定しておけば、必要以上に怖がることもない。そして母は、いつもと何も変わらないある夏の日の午後に、家じゅうに隠しておいた何千元もの現金を取り出し、配偶者欄に父の名前が記された自分の身分証を持って、私と妹を連れて家を出た。

その時、母は三十二歳だった。三十年余りの人生で、母が初めて自分のために人生の決断をしたのが、この逃避だった。

家の前で捕まえたタクシーは私たちを乗せ、停まることなく前へと進んだ。向かっているのは、先の見えない不安であり、未来だった。

1 陣頭とは、民俗芸能を演じるパフォーマンスグループのこと。葬式でパフォーマンスを行う陣頭を特に「牽亡歌陣」という。死者の魂を導くことを意味する「牽亡」には二つの意味があり、一つはイタコの口寄せのような、死者との交信を行うこと（牽亡魂）で、もう一つが本書に登場する喪葬の際に死者の魂を極楽浄土に導くこと（喪葬陣頭・牽亡歌陣）である。

2 地方の地代の安い休耕地に建てられた豪邸「假農舍」（ニセ農家）が、近年社会問題化している。

3 約二百年前に十歳くらいで亡くなったこの地域に実在した女児。人助けをしてくれるので、その霊魂を神として奉っている。

4 台湾の伝統芸能の一つ、台湾オペラ。

5 伝統的なメロディにのせて台湾語で物語を語るように歌う伝統音楽芸能。

6 葬儀行列に用いる、高さ一六〇センチくらいの屋根付きの香炉を置くための台。香亭《こうてい》とも。下段にスピーカーやアンプを収納する。

7 ジュースやビールの缶を積み上げてタワー状にした供物。

8 廟で行われる縁日のようなもの。

9 道教の少年神・哪吒《ナタ》のこと。

第二章

不在の父・阿《ア》源《ユエン》

父を知る人は、父を阿源《アユエン》と呼んだ。

おぼろげな記憶の中の父は、黒ずんだ肌をしていて顔が丸く、太い眉に大きな目、そして鼻は低く横に広がった獅子鼻だった。ずんぐりむっくりとした体格に、短く刈り込んだ頭。そして顔は脂で光り、無精ひげを蓄えていた。

父は雑多な臭いを放っていた。汗、脂、土ぼこり、酒気、ビンロウ、たばこ、ペンキ……。それらのものが合わさった、得も言われぬ、顔を背けたくなるような臭いだった。

父は塗装工だった。建築業で働く他の底辺労働者と同じように、一日仕事をしては、その日の給料をもらっていた。だがその日銭は、我が家の玄関にたどり着く前に、すべて賭場やたばこ、それに酒に消えていった。なので、日々の生活にかかわるすべてのお金は、母が牽亡歌陣で稼いで賄うしかなかった。母は支払いのために親戚や近所の知人から金を借りることもあったが、それでも父は一銭たりとも生活費を出さなかった。

母は塗装工の父のことを食いしん坊の怠け者と言っていたが、実際は、食いしん坊の怠け者にも劣っていた。

盗賊強盗のイメージ

　私の生まれた一九七〇年代の終わり頃は、いわゆる高度経済成長期だった。建築業は台湾の国内総生産（ＧＤＰ）の主要な貢献産業であり、都市部には次々と新しい家屋が建てられ、それを追うかのように、古い建物の屋上にも加蓋《ジャーガイ》[1]がどんどん造られていった。それは内需を創り出し経済を刺激するためであり、また、田舎から都市部に押し寄せた大量の労働者を住まわせるためでもあった。

　建築ラッシュにより、塗装工の需要は高まっていた。毎日のように、建築現場の責任者はその日の労働力を確保できない恐怖におびえ、労働者たちは仕事にあぶれる心配をしなくてよかった。私の父は楽天家なのか、それとも生まれながらの怠け者なのか、一、二日仕事をしては二、三日仕事を休み、稼ぎをすべて飲み食いや賭博に使い果たし、すっからかんになると再び仕事をするという日々を繰り返していた。

　金が尽きても仕事には戻らず、家じゅうの至る所に母が隠していた現金や金目の物を漁るか、母に仕事を回してくれる葬儀社に出向き、未回収の牽亡歌陣の費用を横取りすることもたびたびあった。

母が頑として父に金を渡さずにいると、父は容赦なく殴る蹴るの暴力を振るい、母が抵抗する気力をなくすまでその手を緩めようとしなかったのもしょっちゅうだった。

そんなある日、私は母に葬儀社に行って牽亡歌陣の売掛金を回収するように頼まれた。まさか子供に集金させるなんて父は思いもしないだろうから、その方が安全だろうと母は考えたのだが、結果は同じだった。

私は中山路の自宅から歩いて廟美街へ向かった。上塗りされる前の棺桶や紙紮《ジージャー》[2]と呼ばれる紙製のお供え用の人形が並ぶ葬儀社の入り口を通り抜けて店の中に入って行くと、主人が店の奥でお茶を飲んでいたので、私はすぐに代金を受け取ることができた。子供だった私にとって数千元は大金だった。私は受け取った紙幣を巻いて筒状にすると握りしめ、その手をズボンのポケットに突っ込み、小走りに家路を急いだ。

葬儀社からの帰り道、家まであと半分くらいの距離のところにある小さな橋の上に、私の帰りを待つ父の姿があった。

そのわずかな時間に、父と私の間に何が起きたのかは思い出せないのだが、父に金を持ち去られた私は、しばらくその場にぼう然と立ち尽くすしかなかった。それから我に返ると、今度は母からの任務を遂行できなかったことに対する不安が湧き起こり、恐怖と情けなさに、泣きながら家に戻った。

父は、お金のない状態で私たち母娘がどうやって生活するのかなんて、考えたことがないのだろう。あるいは「母は強し」で母が何とかするだろうと思っていたのかもしれない。何をどう考えていたにしろ、父の所業は成熟した大人のすることではなかったし、父親の立場ならばなおさらだ。

当時の私にとって、父は盗賊や強盗と同じような恐ろしい存在で、私はただひたすら父が私たちのことを傷つけないように願っていた。父に面倒を見てほしいだとか、私たちを愛してほしいなんて、望む余地はなかった。

父は平日のほとんどを家の外で過ごした。父が不在のときの方が、家の中が家らしかった。素面《しらふ》だろうが酔っぱらっていようが、家に戻ってくる父は私にとって、侵入してきたよそ者であり、私たちの家の調和と安全を壊す存在でしかなかった。

今にして思えば、私が当時父に対して抱いていたのと同じように、父も自分のことをよそ者のように感じていたのではないだろうか。

死んだって誰も泣かない人

私が十歳になる前の、まだ父と一緒に暮らしていた時期に、父のことを「お父さん」と呼んだ記憶が私にはない。

母は父に「死んだって誰も泣かない人」[3]というコードネームをひそかに付け、父が不在の間は私たちは父のことをそのコードネームで呼んでいた。幼かった妹はそれが何を意味するのかよく分からずに、帰宅してきた父に向かって「『死んだって誰も泣かない人』おかえり！」と言ったこともあったが。普段は父が帰宅するとそのコードネームは自動的に消滅し、その人は私たちができるだけ距離をおき、できる限り近寄らない、ただの「彼」になった。

『ハリー・ポッター』を読んだのは、父をコードネームで呼んでいた当時からずいぶん時間がたってからだったが、小説の中にヴォルデモート卿が登場するや、私はそのキャラクターに父を重ねずにはいられなかった。名前を言ってはいけないあの人の存在は亡霊のように私たちを悩ませ、頭から離れることがない。彼は悪の化身であり、彼の振るう暴力も、彼の放つ暴言も、闇の魔術のようなもので、私たちはそれに抗う術《すべ》を持たないのだ。

当時私たちが父と住んでいたのは、中和の三、四十坪ほどの土地に建つ、賃貸アパートの五階部分だった。五階フロアはさらに合板で五、六の居室に区切られ、残りのスペースは各部屋の入り口が面する内廊下と、共用のユニットバスと台所になっていた。ベニヤ板で仕切られた居室はそれぞれが四、五坪くらいの広さで、我が家はその中の一室に、大人二人子供二人とすべての家財道具を詰め込んで暮らしていた。

両親が望んだのか、それとも大家がそうしたのか分からないが、我が家が借りていた部屋はもともと狭い上に、さらに板で二つのスペースに仕切られていた。仕切り板には木製のドアが付いていたので、そこを通って二つのスペースを行き来することができた。二つのスペースの一方にシングルベッドが、もう一方にダブルベッドが置かれ、母と私、妹の三人がダブルベッドを、父がシングルベッドを使っていた。

私たち姉妹と母の寝ていたスペースには、ベッドと隣接する枕元の棚、そして鍵のかかる引き出しが付いた机と、達新《ダーシン》印のカバー付きハンガーラック、それに赤いプラスチック製のおまるがあった。共用の台所とユニットバスは、我が家が借りていた部屋とはフロアの反対側に位置していたし、おまるがあれば、真夜中にトイレに行きたくなったときに、部屋から離れた、清潔とは言い難い共用トイレに行かなくて済んだ。

父が使っていたスペースにはシングルベッドのほかにベッドの足元にローボードがあり、その上にテレビと電話があった。ベッドの横には天板に注音符号表[4]と掛け算九九がプリントされた折り畳み式の小さなちゃぶ台と、座面に張られた透明なカバーの破れた、色鮮やかなプラスチック製の小さな丸椅子が二つあった。私たち母娘三人は父が不在のときだけ、そこでご飯を食べ、テレビを見て過ごした。その間だけは、そのスペースは父の部屋ではなく、狭いながらも私たちのリビングルームだった。私は父が家に帰ってこず、このスペースが父に占有されることがなければいいのにと、いつも願っていた。

空間を二つに仕切っていた薄い板は高さが天井まで届かず、上部には空間があったので、壁と呼ぶには不完全だったかもしれない。それはとても薄く、一撃に耐えられそうにないほど弱々しかったが、それが目隠しになってくれたおかげで、家の中で繰り広げられる暴力行為を私と妹が直接見ずに済んだのだから、その存在に感謝しなければいけないのだろう。それ以外の悪夢や恐怖をその壁が止めることはできなかったのだけれども。

母に対する父の暴力行為が始まるのは、決まって私たちのダブルベッドがある側だったが、父あるいは母が意識的に私と妹をその場から遠ざけたのか、それとも私と妹が恐怖心から自分たちでその場を離れたのかは覚えていないが、私と妹はもう一つのスペースのシングルベッドの上や脇にうずくまり、両手で耳を塞ぎ、泣きながら、永遠に止まりそうもない父のわめき声が一刻も早く収まることを祈った。

「てめえ！　今日こそは許してくださいって言うまで叩きのめしてやるからな。だんまりを決め込むんなら、てめえの歯を全部へし折ってやる！」。ドンッ、ドンッ、バンッ！　父が母を蹴飛ばす。バシッ！　バシッ！　父が母を平手打ちする。ズルズル……。父が母の髪を掴み、引きずる。ドシンッ！　ドシンッ！　父に突き飛ばされた母がベッドにぶつかる。テーブルにぶつかる。衣装ケースに衝突する。まだら模様の、人造大理石の床に投げ飛ばされる。ふーっ、ふーっ、ふんっ！　怒り狂った父は息を荒げる。

　部屋が狭いせいか、それとも父親の怒鳴り声がよほど大きかったからなのか、どんなにしっかりと耳の穴をふさいでも、すべての音が鮮明に聞こえてきた。罵詈雑言も、暴力が発する音も、指と耳の穴の隙間を縫うように私の中に入ってきては、私の体の中をぐるぐると反響し、それはそのまま、今もなお私の中を駆け巡っている。

　でも、その音の記憶の中に、母が立てた音はない。

　父からどんなに暴力を振るわれても、母はひと言も声を漏らすことはなかった。本当に、ほんの小さな声すら上げなかったのだ。歯を食いしばって痛みと憎しみに耐えることで、母は自分の中のわずかな尊厳を保ち、自分自身が完全に崩壊するのを防いでいたかのようだった。

しかし、母が耐えれば耐えるほど、父の怒りはさらに大きくなるのだった。

今から三十年ほど前の私が見ていたのは、父の持つ暴力性と冷酷さだけだったが、自分が親の立場になり、当時の父が限界と無力さを抱えていたことに、私はようやく気が付いた。

もし最初に、ただの一度でも、母が「打たないで」と父に懇願していたなら、もし私や妹が父に懐いて「お父さん」と呼んでいたなら、父は振り上げた拳を下ろすことができたのかもしれないし、それを確かめるために、暴力に訴えずに済んだのかもしれない。あの当時、家の中に父の居場所や尊厳があったのなら、父のことを理解しようとする人がいたなら、父が自分を見つめ、自分の置かれた状況や暴力の根源が何なのかを理解するために、父に向かって救いの手を差し伸べる人がいてくれたなら、父は変わることができたのだろうか？

私には、分からない。それを知ることは、もう誰にもできないのだ。

あの時、嘉義の親族の家で見合いをした若い男女が結婚を望まず、結婚に不向きな人間だったなら、家族の期待や社会的価値観に応えなかったなら、父と母には結婚以外の選択肢が残されていたかもしれないし、覚悟のない責任を引き受ける必要もなければ、このような苦境に陥る必要もなかったのかもしれない。

父も母も、無力だったのだ。

元に戻ることのない逃避

小学校三年生の後期が終了した年の、いつもと何も変わらないある日の午後のこと、母は私と妹を連れて家を出た。それは永遠に家に戻ることのない、家出だった。

その日は太陽の光が降り注ぐよく晴れた日で、家の前の通りは人も車も行き交い、我が家の窓から外に延びた数本の黒い電線の上にはスズメが止まり、チュンチュンと鳴いていた。普段どおりのありふれた日常は、母娘の家出により忘れ難い日へと一変した。

父は普段の平日と同じように、日中は家を空けていた。私と妹がいつものように父親のベッドの横に座ってテレビを見ていると、突然母が「テレビを消して、こっちにおいで」と、ダブルベッドがあるスペースに私と妹を呼んだ。私たちは立ち上がりテレビを消すと、すぐさま母の元に行った。母はカバー付きハンガーラックをひっくり返し、何かを捜していた。そして、中に隠していたすべての現金と母の身分証を取り出した。戸口名簿[5]も手にしたが、しばらく眺めたのち、それは持ち出さないことにしたのか、元の場所に戻した。

その時点ではまだ、これから家を離れることを母から聞かされてはいなかったが、私はそうなることを察知していた。

母は私と妹を連れ、部屋を出て階段を降りると、目の前の通りで、当時まだ色が統一されていなかったタクシーを呼び止めた。三人でそのタクシーに乗り込むと、母は運転手に住所を告げた。それはこれからしばらくの間、私たちが身を隠すことになる場所だった。

早鐘を打つ私の胸とは裏腹に、タクシーはゆっくりと走り出した。母の心臓は私以上にドキドキしていただろう。夢うつつの、ぼんやりとした状態の中をタクシーが少し走ってから、私は振り向くと、出てきたばかりの家の方を見つめた。未練があったからではない。自分があの家に取り残されなかったことを、きちんと確かめたかったのだ。

私たちの最初の避難先は、母と同郷の蓮《リエン》おばさんの家だった。蓮おばさんは母の幼なじみで、共に若くして北部に出稼ぎに来た親友同士でもある。蓮おばさんには弟が一人いるだけだった。その弟には絵の才能があり、手書きした千元札が本物と見紛うほどに精巧で、偽札を作ったとして訴えられたことがあるほどだった。

母が少女だった頃、女の子には生まれながらに教育を受ける権利がなかった。資源の乏しい、困窮した農村では、子供に教育を受けさせるほんのわずかな余裕があれば、それは当たり前のように家を継ぐ男児に注がれた。それゆえ、長女だった蓮おばさんは当然のように家族の生活を支える責任を引き受け、結婚もせずに懸命に働いて家族を養っていた。

家族が少なかったことが幸いし、稼いだ金を貯蓄に回す余裕のあった蓮おばさんは、貯金にローンを加えて北部でマンションの一室を買うことができた。慌ただしく家を飛び出し、行くあてのなかった私たちは、蓮おばさんの老後の備えのおかげで路頭に迷わずに済んだのだ。

家を出てからの数週間、母が私と妹を外に連れ出すことはなかった。来る日も来る日も蓮おばさんの部屋に引きこもり、食事の時間になると、母が一人で階下の麺屋か自助餐《ズージューツァン》[6]に行き、食べる物を買ってきたが、少し離れたところにある市場にすら行くことはなかった。

数週間が過ぎ、持ってきた現金が底をつき始めると、母は金を稼がなければならなくなった。友人に借りたり、賭博で稼いだり、ある時は別の牽亡歌陣の助っ人として働くこともあった。

再び母が仕事で外に出るようになって初めて、父が狂ったように私たちの行方を捜し回っていることを知った。

台湾北部で牽亡歌陣に携わる人は少なく、コミュニティも狭かったので、同業者同士は互いに知り合いで、我が家の事情は多少なりとも皆に知られていた。牽亡歌陣の友人づてに分かったのは、父が毎日のように彼らの元を訪ねて回り、私たち母娘の居場所を知る人を捜しているということだった。新聞紙にくるんだ刃物を持ち歩き、彼らの元を訪ねてくる父の目は大きく見開き血走っていた。そんな父に遭遇した人は皆、母娘の身を案じ、私たちにしっかり身を隠すようにと念を押した。

当時の私はまだ子供だったけれど、「殺されるかもしれない」恐怖を感じていた。母がいつか仕事に出かけた先で父親に見つかり、二度と家に帰ってこなくなるのではないかとおびえた。母は私たちを安心させようと「心配しなくていいよ、みんなアイツがどんな人間か知っているし、絶対に私たちが傷つくようなことにはならないから」と言った。

母の力強い言葉をすっかり信じていた私が、母がその当時、ほかの誰よりも恐怖におびえていたということを知るのは、それから三十年近くたってからだった。

さようなら、もう二度と会うことはない

再び父の姿を見かけたのは、私たちが家を出て数年がたってからのことだ。

すでに十二、三歳になっていた私は、新北市三重のとある牽亡歌団で仕事をしていた。団を率いていたのは老夫婦で、私たちの家庭の事情もよく知っていた。私は団長宅に半分居候させても

らいながら、仕事の依頼が来れば団長夫婦と、普段から寝食を共にしていた彼らの娘息子と一緒に働き、仕事のないときは自宅に戻って母と妹と一緒に過ごした。ひと月の約半分を団長の家で過ごすことで、我が家の経済的な負担も軽くなった。

その日も、私はいつものように団長夫婦と一緒に陣頭の仕事に出ていた。喪家の告別式テントは、確か有刺鉄線に四方を囲まれたバスケットボールコートの中に設営されていた。緑色の舗装に白線の引かれたコートで、私はステップの確認をし、ほかの二名の歌舞者と一緒にブリッジや開脚、とんぼ返りの練習をした。さらに、会ったこともない死者の祭壇に香を焚き、お供えをし、酒を地面に撒く奠酒《ディエンジョウ》をした。

当時、団で一番年下だった私は、金紙を焼く係だった。団長夫婦の唄が途切れると、私はテントの外に出てコートを取り囲む金網の近くまで行き、そこに設置した紙銭を焼くための金鑪に金紙をくべた。金紙は、死者の魂をあの世に導くときに召喚する神兵や神将のための旅費だ。

金紙に火をつけ金鑪に入れた後、私はその場で金紙が順調に燃え尽きることを確認した。金紙がきちんと燃えず、金鑪からもくもくとした煙が出るようなら、団長夫婦が唄う歌詞やせりふの内容を変えなければならないからだ。私はいささかぼうっとしながら、揺れ動く赤い炎を見つめていた。その時だった。金網の向こうに立つ男の姿が視界の端に映った。彼の視線はじっと私に向けられていた。

実際の人生は作り物のドラマなんかよりも、ずっとたくさんの偶然が起きるし、引き寄せる力を持っているものだ。私を見つめる男の方に向き直ると、それは紛れもなく私の父その人だった。もしもバスケットコートの周りに高い金網が張り巡らされていなかったらどんな展開になったか分からないが、とにかく金網に囲まれていたことが幸いした。金網越しの一メートルも離れていない場所から、父の両目は私をしっかりと捉えていたが、その表情には激しい動揺と疑念が見て取れた。その時の私は牽亡歌陣の衣装に身を包み、濃いめの化粧をしていたので、父は目の前にいる女の子が自分の娘かどうか確信が持てなかったのだ。

だが私は、ひと目でその男が父であることに気付いてしまった。その数秒間は時間が止まってしまったかのようだった。私は逃げ出したかったが、動くことができなかった。最初に反応した私の両足は、へなへなと力が抜けてしまいそうだったが、父が立っているのは金網の向こう側だし、逃げる時間は十分にあると考えた私は、足にしっかりと力を込めると人のいる告別テントの中へ足早に戻った。私は緊張した面持ちで、外に父がいることを団長夫婦に告げた。おかみさんは私に、「二度と振り返っちゃいけないよ、ここにはたくさんの人がいるから、あんたの父親もあんたを連れ去るようなことはしないだろう」と言ってくれた。

おかみさんの言いつけを守り、私は告別テントから出なかった。ただそうするしかなかった。緊張や恐怖、そして絶えず込み上がってくるいろんな感情を抑え、私は何事もなかったふりをして死者の魂を導く舞を踊り続けた。亡くなった人の魂を導くはずの使者の魂が、恐怖ですっかり抜けてしまっていただなんて、喪家の人たちは思いもしなかっただろう。

すべての儀式が終わるまで、私はバスケットコートの方を振り返らなかった。それから私は団長夫妻や団員たちの中に紛れて、道具を片付けた。だが帰る準備を始めた頃に、ついにこらえきれなくなり、さっき父が立っていた場所をこっそりと見てしまった。しかし父はすでにその場所にはいなかった。

その日から十数年間、父の姿を見かけた者はいなかった。母の友人たちの元にも、父が刃物を持って私たち母娘の行方を聞きに現れることはなかったそうだ。

人は生きるために、人生の支えになるものや生きがいとなる何かを必要とするし、愛情も憎しみもその何かになり得る。あの日、父が何を見て、それをどのように受け止めたのかは分からないが、それは父に、私たち母娘を捜し出すことをあきらめさせた。それが何であろうと、父の気分を良くするようなものではなかったのは確かだ。結果的にそれは、父から生きる力を奪ってしまったのだから。

父の死を確認する旅

ある日、妹あてに一本の電話が来た。

「お尋ねしますが、阿娟《アグァン》さんですか？　阿源の娘さんじゃないですか？」。受話器から聞こえてきたなじみのない男性の声は、そう尋ねた。すでに結婚して家を離れていた妹は突然の質問に驚き、思わず反射的に「そうです」と答えた。

「あなたの叔父ですよ、阿源の弟です。やっと見つけた。ずっと捜していたんですよ」

私たちを捜し出すのは、確かに簡単ではなかっただろう。むしろ捜し出せたのが奇跡なくらいだ。もしこれが台湾のような〝人情味〟にあふれた土地柄でなければ、父の家族は私たちを捜し出せなかっただろう。

中和の家を出た後も、母と妹、私の三人の戸籍は、中和の家に残してきた戸口名簿に残されたままだった。母がローンを組み、新北市蘆洲に家を買ったことで、父と母の婚姻関係を存続させたまま、母娘三人の戸籍だけを母名義の住所に移したことで、十年近く幽霊だった私たちの戸籍はようやく実体を伴った。これは家を出た当初に、戸政事務所[7]の女性職員が母に教えてくれたやり方だった。

その後蘆洲の家はローンの返済ができなくなり、結局手放すことになった。私たちは再び引っ越したが、戸籍はそのまま蘆洲の住所に置いてきたので、私と母は再びそこに実在しない幽霊人口になってしまった。しかし、妹の戸籍だけは嫁ぎ先の家に移り、戸籍の住所と現住所が一致していた。叔父と連絡が取れたのは、そのためだった。

「戸政事務所を何か所か回ったけど、あなたたちの居場所は分からなかったんですよ。最終的に、とある戸政事務所の女性職員があなたの電話番号を捜し出してくれて……。阿娟、お父さんが死んだんだよ。首吊り自殺だった。焼香しに来てはくれないか？　あなたたちの父親には変わりないんだから……。それにお父さんにはまだ借金が残っているんだよ。お父さんが亡くなった後のことは私がすべて手続きをしたから、お母さんに労災保険の死亡給付金を受け取って、借金の返済と私が肩代わりした葬儀代に充ててくれるように、頼んでもらえないか？」

妹は電話の一件と、父が死亡したことを私と母に知らせてきた。私たちの行方を捜し出したその方法に驚いたと同時に、父が自ら命を絶ったことを知らされ、私は動揺した。

幼い頃から牽亡歌陣で踊り、たくさんの人の棺や葬送に接してきた私だが、そのシーンは夢のような、実感のない幻だった。父の訃報を受けて、私はようやく人が死ぬということのリアリティと衝撃を、初めてはっきりと理解することができた。

母は私と妹に、お参りになんか行かなくていい、行くんなら赤い上着に赤いパンツ、赤い靴を履いて、沿道で爆竹を鳴らしておいで、と言った。アイツみたいな人間が死んだって、悲しむ価値なんかないし、むしろ爆竹を鳴らして祝ってやるくらいがちょうどいいのさ。

私は行きたくないのと、行かずにはおれないという、矛盾した思いに駆られた。この目で父の死亡を確認したかった。父の死をこの目で確認することは、私にとって必要な儀式だった。この儀式を行うことで、私は父に対し抱いていた恨みつらみをすべて手放せるのではないかと期待したのだ。

でも「行きたい」という自分の気持ちを、母にどうやって伝えればいいのか分からずにいた。その後も父の親族が母と電話で何回か話をし、さらにどうやって母を説得したのか、母は数日後に自分の考えを改めた。そして配偶者として父の死亡給付金を申請し、私がそのお金を嘉義に住む父の弟の元に届けることになった。

母が考えを改めたのは、支払われる死亡給付金が、父の遺した借金を返済し、叔父が立て替えてくれている父の死で発生した諸経費を支払ってもなお、私たちの手元にも残ることが分かったからだろう。とても現実的な理由だ。でも現実は総じて、その他の諸事を打ち負かすものだ。

こうして私は、思惑どおりに父の死亡を確認する旅に出ることになった。

この旅はとても短いものだった。台北から嘉義まで列車で三時間。車内の冷房を浴びながらゆらゆらと列車に揺られていると、あっという間に到着してしまった。

この旅はまた、とても長いものだった。十歳から二十五歳まで。それは子供だった私が大人になるまで、軽トラックの荷台に揺られ、いろんな場所で死者の魂を導く踊りを踊りながら、言葉にできないつらい記憶をずっと胸に秘め、この苦しみに満ちた娑婆《しゃば》の世界から解脱できる日を待ち望んだ日々だった。

父親の遺灰が納められている納骨堂が、この旅で最も重要な目的地だった。

叔父とは嘉義駅で落ち合う約束をしていた。その時が初対面だったが、駅前の人波の中、私がひと目で叔父だと分かったのは父にそっくりだったからだ。手を挙げ叔父に向かって振ると、白い半袖のポロシャツを着た叔父は私の方に向かってやって来た。私たちは頷き合い、互いを確認した。言葉はほとんど交わさなかったが、それでよかった。何を話しても、気まずくなりそうだった。

叔父は私をタクシーで納骨堂へ連れて行ってくれた。タクシーは嘉義駅からそれほど遠くない、短い山道をぐるりと登ったところで停まった。納骨堂の場所も名前もわざと記憶しなかったのは、父の死亡を確認したら記憶から抹消するつもりだったからだ。でも実際には、納骨堂の名前も場所も、同行してくれた知人のビデオカメラにセットした、黒い本体に赤い蓋のソニー製のビデオカセットテープに記録されていた。そしてそこに記録されていることを知っているからこそ、こんなにもきっぱりと「覚える必要はない」と、自分自身や他人に言い聞かせることができるのだということを、私は認めなければなるまい。

タクシーの中で、叔父は私に父のことを覚えているかと聞いてきた。私がどう答えようかと躊躇していると、叔父は上着のポケットから父の写真を取り出して私に見せてくれた。写真は五センチほどの、身分証に使われるサイズの顔写真で、どうやら遺影に使用したもののようだった。叔父が写真を差し出した瞬間、私はそれを見るべきかどうか迷った。写真を見てしまうと、頭の中から父の具体的な姿を消し去れなくなりそうで怖かったし、だからと言って見ないのはあまりに非情な気がしたのだ。そこで私は自分の中で折り合いをつけ、フレームの中心に映っている人物に焦点を合わせないようにして写真を一瞥すると、私と同じく居心地が悪そうにしている叔父の方を向いてほほ笑みながら、「普段から父の写真を持ち歩いているのですか?」と尋ねた。

他人の前では、常に笑顔でいることが習慣になっていた。笑顔は物事を単純化してくれるからだ。悲しい気持ちを顔に出していると、理由を説明しなければならなくなるが、笑顔には説明が要らない。本心を笑顔で取り繕ってしまえば、誰に対しても何も説明しなくて済むし、自分自身に対してすら、説明が要らなくなるのだ。

叔父は淡々と、あなたに見せるために持ってきたんですよ、と答えた。答えながら叔父は、写真を胸ポケットにしまった。相手が他人だろうが自分自身だろうが、笑顔ですべてを誤魔化すことなど到底できないのである。

タクシーを降りた私たちは、納骨堂のホールへ足を踏み入れた。ひんやりと冷たい空気と、納骨堂特有の静謐な雰囲気に包まれ、炎天と苦痛を伴う記憶とで浮足立った私の身と心は、すっかり落ち着きを取り戻した。私は立ち止まり深呼吸すると、気持ちを整え、管理人に声を掛けに行った叔父が戻ってくるのを待ち、それから一緒に上階へ向かった。

二階、三階、四階。どの階のレイアウトもまったく同じだった。幾何学模様が彫られた無数の木製の格子でできた高い壁に囲まれ、迷路に迷い込んだような錯覚を覚えた。誰かが愛した、あるいは愛さなかった肉親がこの世に存在したという証しが、外観を同じくする格子の一つ一つに納められていた。

父の遺灰は一番上の段に納められていた。最上段はおそらく価格が安いのだろう。この世に生きていた時は社会の最底辺に暮らし、死後、その居場所は一番高い場所に移ったというわけだ。

だが最底辺も最上段も、社会の隅には違いない。階級が本当にない場所なんて存在しないし、死んだってそれから逃れられやしないのだ。

格子の扉を開くには、高いはしごをよじ登るしかなかったが、私はその気になれなかった。目の前にそびえ立つ納骨堂の高い壁を見つめながら、まるでスーパーの陳列棚みたいだと思わずにいられなかった。人生とは本当に荒唐無稽なものだ。私はふと、すでに父親を恨んでいない自分に気が付いた。父の「悪」について、父にまつわるあらゆる思いは、白檀《びゃくだん》の香りのするひんやりとした空気の中に揮発してしまったかのように、消え失せてしまっていた。

死が持ち去るのは、命だけではなかった。

父の死を確認する旅を終えて家に戻った私は、これで母も私と同じように、父が招いた恐怖や憎しみから解放されるだろうと思っていた。だがそれから何年もたってから、母がいまだに父の亡霊と戦い続けていることに気が付き、愕然とした。互いの首を絞め合い、相手が窒息するまで手を離さないつもりでいるかのようだった。

秘密について

二〇一二年、娘を出産した私は仕事を辞め、育児に専念することにした。その年の私の生活はとても単調なものに様変わりした。仕事はなく、テレビも新聞も見ず、フェイスブックもネットもやらず、私の生活には娘しかなかった。娘にもっぱら心を注ぎ、満ち足りた気持ちで彼女を見つめるたびに、私の思いは母へと向かった。私がまだオムツ姿だった頃、母も私のように温かな気持ちに満たされて、私のことを見つめていたのだろうか？　私は娘のように、母に対してかけがえのない、言葉にし尽くせないほどの幸福感を与えることができていたのだろうか？　それとも、私の存在は、母の人生に苦難を増やしただけだったのではないだろうか？

私と娘の間の関係は、絶えず私に、私と母の間の関係を意識させた。

私の、家族の話を映画に撮りたいという思いは、一周回って私のところに戻ってきた。映画を撮ることは二十歳の時に思いついたことだったが、いろんな条件がそろわず、遅々として進まないまま棚上げ状態になっていた。だがそれは思いがけず、娘を出産したタイミングで少しずつ形になっていった。

その年の夏、ドキュメンタリー映画のピッチコンテストのチラシを手にした私は、とにかくまずは企画書を書いてみようと思った。その頃には、娘もある程度まとまった時間眠ってくれるようになっていたので、私にはゆっくりと企画書に取り組む時間が十分にあった。さらに、このコンテストに提出する企画書には字数制限があり、長々とした文章を書く必要もなかったので、とりあえず書いてみることにした。もしも企画書が通ったら、それから次のことを考えればいいやと思っていた。

一八一四文字の企画書を書き上げた私はインターネットを立ち上げ、コンテストのサイトにエントリー書類をアップロードした。応募からひと月とちょっとたった頃に、主催者から私の作品が入選したとの知らせが届いた。それからさらにひと月とちょっとたった頃、私はプレゼンテーションを行い、最終的に私の企画が、その年の最も優れた企画提案に選ばれた。

私の企画に感動した人は少なくなかった。海外の審査員も、台湾国内の映画関係者も、その企画の中に私の母に対する愛情を見たのだろう。だけどそのストーリーを語る理由の中には母に対する愛情だけではなく、母に対する恨みが含まれていることを、私は自覚していた。

私は心から、母に対する恨みを消し去りたかった。そして母への恨みを消し去ることは、私にとって必要なことだった。

中和で暮らした家の、部屋を二つに分割した一方のスペースには、ある秘密があった。それは私と父が知る秘密だった。そして私はずっと、その秘密を母も知っていると思っていた。

どのようにそれが始まったのかは忘れてしまったが、普段母と妹と一緒に寝ていた私は、時々父のシングルベッドに寝かされることがあった。父のベッドで寝るのは私一人ではなかった。父も一緒だった。

確か夏のことだった。父は黄ばんだ白い肌着にブリーフ姿で寝ていた。ブリーフは黄色のこともあれば、青色のこともあり、そして肌着と同じように黄ばんでしまった白のこともあった。私は黄色のブリーフが、なぜだか大嫌いだった。

母と違い、父は眠りについてからがとても騒々しかった。父のいびきを聞かされ、父の出すフガフガという寝息がうるさくて、私はいつもよく眠れなかった。ただ、眠れそうなときであっても眠気に耐え、タイミングを見計らって父のベッドを抜け出しては、母のそばで眠った。

私は父のベッドに横たわり、窓の外で車のライトが放つ光とそれによってできる影をじっと見つめた。その影は白い天井に、時には絶え間なく、時には随分と長い間隔を空けて映った。ランプシェードに積もった埃や、蜘蛛の巣、天井の蛍光灯の中に一つだけある、豆球の黄色い灯をじっと見つめた。そして私が一番よく見つめていたのは、母と妹が安眠する場所へと通じるドアだった。そのドアは決して閉められることがなかった。

父がすっかり熟睡するのを待ち、私は細心の注意を払って体を起こすと、ひんやりと冷たく滑らかな石の床に両足をそっと着け、猫のように静かに母のいる部屋へ戻った。ドアを通り抜けると、私は尿意があってもなくても、赤いおまるにしゃがんで用を足した。本当に出るときもあれば、ふりをするだけのこともあった。これは突然目を覚ました母に、どうしてこっち側に戻ってきたのかと聞かれたときに「おしっこしたかった」と言い訳するためだった。用を足した後は、寝ぼけたふりをして、そのまま私たちのベッドにもぐりこみ、母のそばで寝るつもりだった。だが、母が起きてくることはなかったし、どうして夜中になると、こちら側に戻ってくるのかと聞かれることもなかった。

不思議なことに、私の母に対する恨みは、父が私にしたことではなく、こちら側に戻ってくる理由を母が私に聞いてくれなかったことが原因だった。

幼かった私は、何度も何度も繰り返し演じる練習をしていた。もし母が本当に質問してくれたら、私はきっと、「何でもないよ、ただお母さんの横で眠りたいだけなの」と答えただろう。子供は嘘をつけないものだ。それに私は嘘をついたわけではなく、ただ、出来事のすべてを母に話していないだけだった。

成長し、私は大人になった。繰り返し練習した演技を披露する機会のない私は、まるで一つしか与えられていないせりふを、毎日のようにすらすらと暗唱するしかやることのない、エキストラ俳優のようだった。せりふを完璧に演じ切るその時を待ち続けていたが、そのシーンが舞台上で演じられることはなかった。

それならば、秘密は自分の中にしまい込んでしまえばよかったのだろうか。秘密を知らなければ、母が悲しむことはない。母を悲しませたくないというのが、私の望みだったのではないか？いや、本当は母に真実を伝えたかった。伝えたかったが、伝えられなかった。母に秘密を話せば、自分自身がみじめになるだけだったからだ。

シングルベッドの上で、父は大の字になって仰向けに寝ていた。その姿勢は眠った後も変わることはなかった。小さかった私は、父の横に両足をそろえて伸ばし、両腕を自分の体の両側面にぴったりくっつけて横たわっていた。狭いシングルベッドで、私はそうやって横たわるしかなかったし、その姿勢でいたかったのだ。父の方は向きたくなかったし、壁の方を向いて父に背中を見せるのは不安でしかなかった。

父は横になるとすぐに眠ってしまう、寝つきのいい人だった。だが寝入ってからしばらくすると、大抵一度は目を覚ました。目を覚ますと、声を出すことなくこちら側に手を伸ばし、私の右手を掴むと、カラフルな下着越しの父の性器の上に持っていった。

父は私の手を取り、自分の性器を軽くさすり始めた。それはやがて、前後に撫でるような動きになる。だらりと柔らかかったものが、次第に膨張し硬くなってくると、父は使っていない方の手で下着を下げ私の手に直接性器を握らせ、引き続き上下にさすらせた。

一連の行為に、私は声を立てることなく静かに、協力した。ただ、当時の私がどうにも言葉にすることができなかったあの奇怪な器官を、私の口に含むよう父が要求したときだけは、頭を横に振り、小さな声を出して拒絶した。私が抵抗する術《すべ》を知らなかったということもあるが、私が父の要求に素直に従ったのは、父に協力することで母の苦しみが少しでも減らせるのではないかという、私の勝手な思い込みもあった。

薄い板で仕切られた向こう側から聞こえてきたのは、父が母に暴力を振るう音だけではなかった。私はそれ以外の音も聞いていた。夫婦の間のいかなる性的な強要も性暴力ではないし、婚姻関係において夫の性的な相手を務めるのは女性の義務だと父が母に言い聞かせるのを、私は幾度となく耳にしていた。もちろん、父がそんな言い方をしていたわけはなく、私は父が口にする、聞くに堪えない呪いを文字で繰り返したくないだけだ。

結果的に秘密を私の中に押しとどめておけなかったのは、母のためを思ってやりたくもないことをしていたというのに、母がむしろ、まるで何ごともなかったかのように、気にするそぶりを見せなかったからだ。

この耐え難い秘密は、私が墓場まで持っていき、骨と一緒に葬ってしまうのが最善だと思っていた。秘密に触れたり言及しない限り、誰も傷つくことはない。でもそれは間違いだった。この秘密は消毒されていない傷口だ。ガーゼをいくら交換したって、傷口をふさぐ助けにはならない。それどころか、化膿した傷口は、周りの組織にまで感染を広めてしまうのだ。

この秘密のせいで、私は自分のことも、そして間違いなく母のことも愛せなくなっていた。三十数年間、母がなぜこのことを私に聞かないのか、その理由をずっと探してみたけれど分からなかった。娘の立場からはまったくと言っていいほど理解できなかったし、母の無言を受け入れるしかなかった。

そして頑張って探したけれど見つけられずにいた答えが、ある日、あまりにも意外性のない形で私の前に現れようとは、まったく予想していなかった。

私の知らない父のこと

二〇一四年から二〇一五年にかけて映画の撮影を進める中で、インタビューしていた母の友達の口から、私の知らない父の話を聞かされた。

母との付き合いが長い阿満《アマン》おばさんが話してくれたのは、私や妹が生まれる前の出来事だった。当時、地方での仕事が多かった父がしばらく家を空けなければならなくなった時、父は阿満おばさんに家に泊まって母のそばに付いていてやってくれ、と頼んだことがあったそうだ。

初めてその話を聞いた時、私はとても驚き、でもすぐに、自分が不在の間に母が逃げ出すのではないかと心配した父が、母を見張らせるために阿満おばさんを呼びよせたのではないかと考えた。だけどもし母が家から逃げないように見張らせるなら、父は母の友達ではなく、父が信頼できる父の知り合いに頼むのではないだろうか。

それから思い出したのが、まだ子供の頃に母が私に話してくれたことだった。それは家の中に幽霊がいるような気がして、母は独りで家に居るのが嫌だということ、どうしても独りでいなければならないときは、家の中が静まり返らないようにラジオやテレビをつけて音を出し、緊張をほぐしていた、というものだった。

思いがけず知ったエピソードと、私の記憶の中に長いこと眠っていた記憶の断片が、ぴったりと一致した。その瞬間はまるで、それまで誰も思いつかなかったアルゴリズムが出現し、それにより導き出された父に関する答えは、これまで私たちがよく知っているはずだったものから一変してしまう可能性を持っていた。

私は好奇心から、母にそんなことがあったのかと聞いてみたが、母の答えは「覚えていない」の淡々としたひと言だったので、私もそれ以上は聞かなかった。そしてこのことが、何かを変えることもなかった。

私が父について知っていることはとても少ない。わずかな記憶の断片のほか、私は父の生まれ育った場所も、通った学校も、きょうだいが何人いるのかも、そして故郷の家族と父がどんな関係だったのかすら知らない。

私がまだ幼かった頃にほんの数回父の実家に連れて行ってもらったことがあったが、それは決まって旧正月などの祝祭日だった。そして正確な住所は覚えていないが、嘉義駅からそれほど遠くない、客家人の暮らす小さな家が集まった集落に、父の実家はあった。あまり知られていないが、その集落に暮らす人々は、コミュニティの外の人たちと話すときには台湾語をしゃべり、コミュニティの中の人同士でしゃべるときは客家語を話していた。彼らが地域社会になじんでいたともいえるし、そうすることが一種の自己防衛にもなっていた。

父の実家についてよく覚えているのは食卓の風景だ。父の実家を訪ねるのは決まって年の節目だったので、年越しのごちそうが並んでいた。早い時間に着くと、父の母、つまり私の祖母は湯気の充満した台所で忙しく動き回っていた。会うたびに、祖母は艶やかで美しい花柄の布でできた七、八分丈のズボンをはいていた。私たちが家を訪ねたその日は、祖母は立ちっ放しで台所と食卓の間を忙しく行き来し、席に着くことはほとんどなかったので、私はしっかりと祖母の顔を見たことがなかった。ただ、ちょうど私の視線の高さに、祖母のはいていたズボンに描かれた無数の牡丹の花の絵があったので、それだけがはっきりと記憶に残った。

　父の実家で出された年越しのごちそうは、もち米で作られた「粄《バン》」と呼ばれる特別なものだった。「粄」は竹製のせいろで蒸して作る料理なので、台所が湯気で充満するのだろう。毎回、父の実家のごちそうの最後に登場するのが「粄」で、私はいつもそれが出てくるのを心待ちにしていた。私は客家の子孫だが、客家語を話せない。でも客家料理の粄と鹹湯圓《シエンタンユエン》（肉餡入り白玉団子のスープ）は大好物だ。好物の粄と鹹湯圓は、私が客家人の血を引いていることや、父の実家とのつながりを感じさせる、唯一のものかもしれない。

　父の実家に行き、年越しのごちそうを食べることは任務のようなものであり、最後の一皿の登場は、任務完了が間近だということのサインでもあった。任務が終わると、私たち一家は速やかに実家を出発した。そこに名残惜しさはなかったし、祖父も祖母も、私や妹を抱きしめてお別れを言うことはなかった。祖父の関心は姓を継ぐ男の孫にしかなく、役に立たない女の孫である私や妹のことは、誰も気にしないのだと母は言った。

本当に寒々しく、そして哀れな思い出だ。

この本を書くにあたり、私は幾度となく、勇気を出して母に父親のことをもっと聞かなくては、と思った。だけど、そう思っていても結局は聞かないことを選んだのは、母に父のことを質問することで母の感情を揺さぶってしまうのではないかという心配もあったが、それ以上に、父について深く知りたいというモチベーションが私にはないし、この本を書くために父のことを聞き出すのは何だか筋違いな気がしたからだ。だからとりあえずは、この辺で止めておこうと思う。

私は父のことが嫌いだ。だからといって、父のことを恨んでいるかというと、そういうことはまったくない。父に対する私の感情を細かく分析していくと、大半を恐怖心が占め、いくばくかの嫌悪感が混じっているものの、恨みはそれほどない。父を恐れるあまり、恨むことすら恐ろしく、はばかられるのか、それとも父に対し愛情も期待もないからこそ、恨む気持ちが芽生えないのかもしれない。

父親という登場人物は、私の人生に確かに存在した。そして、父がやらかしたことも、父ができなかったことも、家族の一人一人に、そして父自身にも深い爪痕を残した。

私たち母娘はかつて父に散々苦しめられたが、それでもまだ運が良かった。少なくとも、私たちは出口を見つけ、そこから逃げ出すことができたのだ。だが父には逃げ込める場所がなく、自分の命を自分で終わらせるしかなかった。父のこの選択には、哀れみを覚えずにはいられない。

私と母の関係は縺《もつ》れ合い、そこには愛情も、恨みも、困惑も、赦《ゆる》しもある。おそらく、私と母は一生ずっとそうやっていくしかないのだろう。だが私と父の関係は、父の死とともにあと腐れなく、何もかもがいっぺんに消えてなくなってしまった。それが私と父との関係の完成形なのかもしれない。

たった一度きりの、不思議な時間

父について、最後に一つだけ書き記しておこうと思う。

それは私の中に残るわずかな父に関する記憶の中の、まだ誰にも話したことのない、ある体験についてだ。それは普通の家庭ならば見過ごされてしまいそうな、どうってことのないありふれた出来事かもしれないが、私にとってそれは、なんとなく口に出してはいけない秘密であり、口に出してしまうと、父から被った苦しみを分かち合う母と私の間の、連帯感があっという間に壊れてしまいそうな、そんな体験だった。

私が小学校一、二年生の頃だっただろうか、なぜかその日、父は私だけを萬華夜市に連れて行ってくれた。夜市のどのあたりだったか正確なことは覚えていないのだが、父と私はとても狭い裏路地を歩いていた。通りの両側には、入り口に赤い灯籠や電球を掲げた家がたくさん建ち並び、赤い光を放つ一帯は、まるで炎に包まれているようだった。たくさんの男女が立ち話に興じていて、その場は異様な熱気を帯びていた。通りを歩いていると、父の背中のほかに、チャイナドレスを着たたくさんの女性たちの、脛や太ももがちらちらと視界に入ってきた。中には私や父に手を伸ばして「寄っていかない？」と誘ってくる女性もいたが、私たちが立ち止まることはなかった。

その裏路地を歩いた三〜五分間の記憶は、私と父の関係において何とも不思議な時間だった。私にとっては恐怖と嫌悪の対象でしかない父が、その通りを歩いていたほんの数分の間だけ、頼ることのできる唯一の存在になっていたのだ。私はただただ父の姿を見失うことを恐れ、父の後ろをしっかりとついていった。

赤い光を放つ路地を抜け、父は私を連れ、ある殺蛇店（蛇料理店）へと入った。父は自分用に蛇のスープを、私のために蛙のスープを注文した。父と私はひと言も話すことなく、黙ってそれぞれの目の前に出された料理を食べた。この時私は生まれて初めて、父にご飯を食べさせてもらった。後にも先にも、これっきりだった。

それからというもの、私は蛙のスープを避け続けている。事情を知らない人からは、私がスープの中のアオガエルを食べられないのだろうと思われている。けれど、私には分かっている。私が蛙のスープを飲めない理由は、母だ。私の記憶の中の父は、純粋に「悪」であり、そのイメージは母と一致していなければならないし、もしそうでないなら、私は母を裏切っているような気持ちになってしまう。それに父のことを単なる恨みの対象にしておいた方が、何かと話が簡単なのだ。

この章に、私の中の父の記憶をそのまま書き記し記録することは、この世に私の命を授けてくれた人への、私からの最後の憐れみであり、情けだ。

さようなら、お父さん。

1 屋上に建て増しされた違法建築。

2 紙と竹でできた張り子の工芸品。葬儀の際に燃やす。

3 死んでも誰にも悲しんでもらえないという、侮辱の表現。

4 台湾で使われている発音記号の一覧で、日本のひらがな表のようなもの。

5 身分証明書の一種。登記に使用。家庭で保管し、出生／死亡、転入／転出などの届け出の際に必要となる。

6 セルフサービス式の食堂。

7 戸籍の登記や管理を行う国の機関。自治体ごとにある。

第三章

私の妹・阿《ア》娟《グアン》

それぞれの家庭が銀河なら、家族一人一人はその銀河に属する星だ。我が家を銀河に例えるなら、母が恒星で、私という惑星と、もう一つ小さな惑星を牽引している。その小さな惑星は常に私のそばにいて、母さん星の周りを一周、また一周と一緒に回り続けていた。

二歳年下の妹の恵娟《フイヂュアン》の名前もまた、私の時と同じように母が金を払って、人に頼んでつけてもらった。「恵」はしなやかで従順、「娟」はきれいで美しいことを意味する。あまたある文字の中から、どのようにして選ばれたのかは分からないが、その文字は、名づけられた人物の人となりを表した。その占い師は何かを予見したかのように、妹の性格にぴったりの名前を付けてくれたと私は思っている。

互いに寄り添う存在

色白で福々しい恵娟は、幼少の頃からずっと年配者に気に入られてきた。まだ幼かった私と妹を母が連れていると、妹だけが大人たちに取り囲まれ、「本当にかわいい子だわね、頭が大きくて目がぱっちりしていて。耳も大きいし吉相ね」と言われながら、小さな顔を撫でられ、ぷっくりとした両方の耳たぶを触られたものだ。私はそんなふうにされたことがなかった。

妹の後頭部はかなりの扁平なのだが、ある時代に絶壁頭が美しいともてはやされたことも、妹がかわいがられる理由だ（なぜなのか分からないが、お年寄りの多くは、後頭部が平らな子供は見栄えが良く、幸運に恵まれる吉相と考えている。台湾語には「おでこが出っ張っていると運が悪く、後頭部が出っ張っていると苦労し、両方の側頭が出っ張っていると隣人に不和をもたらす」という俗語表現があり、年配者は子供の後頭部が平らになるよう、子供を仰向けに真っすぐに寝かせたがる。丸みのある頭はなぜだか嫌がられるのだ）。それに平らな頭は「育てやすかった」ことの賜物でもあった。

妹とは反対に、私はとても育てにくい子だった。しょっちゅう熱を出していただけでなく、異常なまでによく泣いた。母乳が足りず、母が哺乳瓶で粉ミルクを飲ませようとすると、哺乳瓶やゴム乳首を嫌がり、母乳じゃなきゃ嫌だ、と全身で激しく泣いて主張したそうだ。母が粉ミルクを与えようとするたびに、私は力尽きるまで泣き叫んで抵抗し続けた。寝かしつけのときも、誰かがおんぶして歩き回るか、抱っこして揺らし続けなければ泣いて眠ろうとしなかった。動きが止まるやいなや、私はハラワタがちぎれんばかりに大声を上げて泣いた。粉ミルクを飲んでくれず、よく眠ってくれない私は、生まれて初めて赤ちゃんを育てる母にとって、とても頭の痛い存在だった。

私のときに経験した育児の悪夢を再び繰り返したくなかった母は、妹が私みたいにならないように、聞き分けがよく、よく眠る子になるようにと、妹を産んだ直後からできることはなんでもやった。最初から母乳は与えず、世の中には哺乳瓶の中の粉ミルクとゴム製の乳首しかないかのように装った。信じ難いことに、母は牛乳に細かく砕いた睡眠薬をほんの少し混ぜて、妹に飲ませたことも何度かあったらしい。胃に入ったごくわずかな睡眠薬は、まだ本当に小さかった妹から泣く力を奪い、妹は一日中静かに眠り続けたそうだ。

母は笑いながら、そんな育て方をしたもんだから、アンタの妹はぼんやりした、世情に疎い子になっちまったんだねと、ご長寿ドラマのばかげたストーリーを語るように、衝撃的な育児方法について話してくれたものだ。最近になって、睡眠薬入り牛乳のことをもう一度母に尋ねてみたら、大笑いしながらあれは作り話で、子供だったアンタたちをからかっただけだという。真相はさておき、母が私たち姉妹を大きくなるまで育ててくれたことには違いない。

色白でぽちゃぽちゃしていて、皆にかわいがられた妹とは対照的に、幼い頃の私は木炭のように色黒でカラカラと痩せていて、人に好かれない子だった。そんな私のことをただひとり好いてくれていたのが、私の妹だった。

覚えている限り、私と妹は離れることなくいつも一緒だった。妹は自分で歩けるようになると、一日中私の周りにくっついて離れなかった。私は妹の小さな手を握り、階下の雑貨店に行くと店の入り口に立ち、店内に並んだ大きなアクリル製の透明な筒の中に入った駄菓子を一緒に選んだものだ。ピンク色の包み紙の黒人牙膏糖《ヘイレンヤーガオタン》や、銀紙に包まれたサッカーボール・チョコレート、それにストローで吸って食べる黄色い袋入りの麵粉《ミエンフェン》茶に、ローズピンク色の包み紙の鹹酸甜《シエンサンティエン》。どれも一元あれば手に入れることのできる、甘いものばかりだった。

妹が十八歳で結婚するまで、妹に付き添い、妹の面倒を見ていたのは私だった。いや、もっと正確には、私たちは互いに寄り添い合っていた。一緒にままごとをして遊び、一緒に牽亡歌陣で働き、一緒に眠り、一緒にご飯を食べた。別々なのはお風呂とトイレぐらいだった。

幼い頃から優しい性格で、気の置けない相手に対してはとても従順で、自分の気持ちを表に出すことはほとんどない妹だったが、一度だけ、こんな出来事があった――その日私と妹は、フライドチキンと大きなハワイアンピザをテイクアウトした。この世にこれほどおいしい食べ物はないし、妹もきっと好きに違いないと考えた私は、そのジャンクフードを次から次へと妹にすすめ、妹は何も言わず、私にすすめられるままにそれを平らげた。

成長期に差しかかった私の食欲は、怪獣並みだった。健康的とは言えないピザやフライドチキンを私が心ゆくまで堪能していたその時、妹は突然トイレに駆け込むと、今食べたばかりのものを嘔吐し始めた。驚いた私は、妹が食べ物にあたってしまったのではないかと考えたが、胃の中のものをすべて出し切った妹は、おびえたようにこう言った。「お姉ちゃん、量が多すぎてこれ以上食べられないよ」。妹の体はまだ子供で、大量の食べ物を必要としていなかった上に、妹はまだそんなにたくさんの量を食べられなかったのだ。妹の吐き戻しは私が原因だった。

　今にして思えば、当時の私と妹の関わり方は私と母の関係とそれほど差がないことに気が付く。「あんたのことを気にかけているよ」という妹への気持ちを、私は食べ物を与えることで伝えようとした。それは、母が大きな冷蔵庫の中に食べ物を詰め込むのと同じだ。冷蔵庫にたくさんの食べ物を入れることでしか、母は私たちに対する無言の関心を表すことができなかった。そして妹は、私が彼女のために用意した食べ物を黙々と食べた。それは姉に黙って従う、妹らしい行動だ。同じように、虱目魚《ミルクフィッシュ》の脂ののった内臓を、胃をムカムカさせながらも私が我慢して飲み込んだのは、母好みの良い娘でありたいと私が思ったからだ。

　人を愛し、人に愛される方法について、実際にはもっといいやり方があるのだろうが、私たちはそれを誰からも教えてもらったことがなかったのだった。

家庭を渇望する、生まれながらのお母さん

出生率が下がり続けるこの時代に、妹は若くして四人の子の母となった。そして妹が四十歳になるまでに、彼女の子供たち全員が、中学校や高校へと進学した。知り合ったばかりの友人は、妹に子供が四人いることを知ると、大抵驚く。そしてこの誰もが子育てをしたがらない時代に四人も子供を産むなんて、なんて勇気があるの！　と、妹のことを褒めずにはいられなくなるのだ。

もし子供の頃の妹を知っていれば、彼女が四人も産み育てていることを聞かされても、それほど驚きはしないだろう。妹の母性は天性のものだ。子供の頃から赤ちゃんを見つけると、抱っこしてゆらゆらとあやし続け、赤ちゃんから離れようとしなかったように、彼女の母性は幼い頃からすでに芽生え始めていた。

生後間もない赤ちゃんが我が家にやって来たことがある。当時、母と付き合っていた双双《シュアンシュアン》さんが養子に迎えた子供だった。その子の生みの親は双双さんの実姉なのだが、育てることができず、双双さんが引き取ったのだ。その時まだ十五、六歳だった妹は、日本のアイドルグループSMAPの稲垣吾郎や、香港のスター周慧敏《ビビアン・チョウ》に夢中で、一枚十元のラミネート加工されたブロマ

イドや、海賊版のカセットテープを夜市で買い漁り、集めるのに夢中だった。陣頭の仕事がない日は一日中家に籠り、アイドルのアルバムを聴き、ブロマイドを眺め、色紙を折っては、いろんな色の星を一つ、また一つと、作って過ごしていた。

　だが双双さんの赤ちゃんが我が家に来てからというもの、妹はそれらのものには一切見向きもせず、小さくてやわらかくて、甘い匂いのする生きたお人形にすっかり心を奪われ、すべての時間をその赤ちゃんと過ごすようになった。

　その赤ちゃんは双双さんの姓を名乗ることになったのだが、彼女の姓が偶然にも黄《ホアン》だったのと、名前も私や妹と一字違いの恵雯《フイウェン》だったので、黄恵楨《フイチェン》、黄恵娟《フイヂュアン》、黄恵雯と三人の名前が並ぶと、まるで本物の姉妹のようだった。

　恵雯が我が家にやって来た最初の数日間は、母と双双さんが主に彼女の面倒を見ていた。妹は二人がミルクを作って赤ちゃんに飲ませ、オムツを交換し、沐浴させるところをピッタリそばについて見ていたが、ある時勇気を奮い起こし、私も手伝いたい、と言い出した。こうして恵雯が満一カ月を迎えた頃からは、彼女のお世話はすっかり妹に任されるようになった。母と双双さんは妹のことを、「生まれながらの保母さんだね」と言った。息をするかのように、ものを食べるかのように、妹の育児は自然でスムーズで、一点のぎこちなさもなかった。

妹はこの頃には、自分がどんな人生を歩みたいか、すでに分かっていたのだと思う。妹の愛情への憧れと、家庭を持ちたいという渇望は、私のそれより早く、かなり強固なものだった。妹が十七歳で初めて恋に落ちた頃、十九歳だった私の人生最大の目標は、出家して尼僧になることだった。子供の頃から、人生は、特に女性の人生は、終わることのない苦しみだと感じていた私は、その不幸な運命から逃げ出す方法ばかりを考えていた。

私たち母娘がまだ中和の家で父と一緒に住んでいた頃のこと、母としょっちゅう連絡を取り合っていた何人かのおばさんたちが頻繁に母を訪ねて我が家にやって来ていたことを今でもよく覚えている。彼女たちは遊びに来ていたわけではなかった。正確には、暴力を振るうパートナーの元から、我が家に避難しに来ていたのだ。

おばさんたちの多くは、年も出自も母と似たり寄ったりで、歌仔戯《コアヒ》の俳優として舞台の上ではハンサムな青年や美しい悲劇のヒロインなど、さまざまな役を演じていた。そんな彼女たちも歌仔戯が終わり舞台を降りれば「誰かの奥さん」や、あるいは然るべき身分を持たない「愛人」だった。

我が家にやって来るおばさんたちには、いろんな色の、大小さまざまな痣《あざ》があった。体にできた痣は服で覆い隠せるが、顔にできた赤紫色の痣は、どうやっても隠すことができなかった。誰が来ても、どれほどの傷を負ってやって来ても、母は必ず「金門一條根」という塗り薬を塗ってあげた。冷蔵庫に常備してある白いプラスチック製の容器に入ったその軟膏を塗られるのは、おばさんたちの体にできた傷だけではなかった。母がぶち切れて私と妹を叩きのめした後にも、私や妹の体にできた傷に塗られるのは、やはりその薬だった。おそらく母が自分の体にできた傷に塗ったことがあるのは、このどう見ても安っぽい軟膏だけなのだろう。

「この世界にまともな男など一人もいない」とは、私と妹が幼い頃から、母が私たちに何度も繰り返し、こんこんと言い聞かせた唯一のアドバイスだった。

だがそのアドバイスが妹の心にきちんと届いていなかったのか、あるいは人類の生物的本能に抗えなかったのか。私たちは時が来れば、失われた片割れを探さずにはおれなくなるものなのだ。

妹は嫁に行き、私も家を離れた

妹は仕事を通じて、我が家と同じように陣頭を営む一家の息子と知り合った。当時十七歳だった妹は二十歳だったその青年と知り合ってしばらくすると、結婚したいと言うようになった。それは、あの従順で温和な妹の、初めての自己主張だった。

妹が初めて朝帰りした時のことを、私はいまだにはっきりと覚えている。世の中の母親が決して自分の娘に放つことのない、それに若い娘に対して言ってはならない言葉で、母は妹のことをひどく怒鳴りつけた。耳をふさぎたくなるような母の悪態に私は絶句し、その場に立ち尽くした。そして不甲斐なくも、私は妹のためにただのひと言も声をかけてやれなかった。この時のことは、後に妹に対して下してしまった間違った決断と共に、ずいぶん長いこと私を苦しめた。

だが妹たちが結婚の意思を固めると、母は意外にもそれをあっさりと受け入れ、手のひらを返したように嬉々として結婚の準備を始め、挙げ句の果てに女の人は結婚してしまえば、住む場所とよりどころができるのさ、と言い出す始末だった。当時の私は、母の矛盾と分裂をまったく理解できなかった。この世の男にろくな奴はいない、と言いながらも、女性は男性に嫁げば、人生が完璧で保証されたものになる、なんてことを、母はどうして信じられるのだろうか?

私は混乱し、そして失望した。それは何もかもが分からなくなったからだけではない。妹の結婚が決まる少し前、私たち母娘三人がこんなにも長い間、必死に働き続けてきたというのに、我が家にはほとんど貯金がないことが分かったのだ。貯金がなかっただけではない。母には多額の借金すらあった。

その当時、我が家と同じように家族で牽亡歌陣頭を営むよその家庭は、マイホームも車も手に入れ、さらに銀行口座にはある程度の貯金もあった。生活には余裕があり、一家そろってしょっちゅう遊びに出かけていた。私はずっと、我が家の経済状況もよそと似たようなものだろうと勝手に思い込んでいた。食べる物にも着る物にも困ってはいなかったし、毎月、私も妹も十万元近い現金を母に渡していたからだ。我が家には車もなく、外に遊びに行くことも滅多になかったので、むしろよその家庭よりもたくさん貯め込んでいるに違いないとすら思っていた。それがまさか、正反対の状態だったのだ。

我が家の財政状況を否応なしに知らしめたのは、サラ金からかかってきた督促の電話だった。聞き覚えのない男の声は「お袋さんに金を返すように言いな。返しに来ないなら、こっちから出向くからな」と言っていた。受話器から聞こえてくる声は決して荒々しいものではなかったが、サラ金からの電話だと分かれば、何を言われても、それまでの人生が頭の中を走馬灯のように駆け回り始めるものだ。

私は母に、この数年で借金がどれくらいになったのかを問いただした。すると、蘆洲のマンションを担保にした銀行からの借り入れ、まだあと二〇期分くらい収めなければならない標会[1]の掛け金、サラ金からの超高利の貸付のほか、母の二番目の弟の家を担保に借りた金もあった。これらに加えて、私たちには毎月支払わなければならないマンションのローンも残っていた。そしてこの時、仏門に逃避する夢を実現させるための条件すら自分は満たせなくなるのだということを、思い知らされたのだった。

妹が嫁ぐということは、これらの債務がすべて私一人にのしかかってくるということを意味した。言いようもない恐怖と怒りで、妹の結婚というめでたい門出を祝福する気持ちは完全に消えうせて、私は彼女の婚約披露宴を欠席した。新婦側の親族や友人知人が大勢詰めかけ、満席となった披露宴の席に、新婦の姉である私が姿を現さなかったことは、妹をどれほどがっかりさせてしまっただろうか。だが人に何かを強いるようなことをしない妹には、どうすることもできなかった。

後にして思えば、母があんなにさっさと気持ちを切り替えて妹の結婚を受け入れたのは、私がボイコットしたあの婚約披露宴が原因だったかもしれない。しきたりでは、婚約披露宴の一切を新婦側が取り仕切ることになっていて、招待するのも新婦側の身内や友人知人だ。さらにご祝儀は、すべて新婦側がもらうことになる。まだまだ慶事で損することがない時代だった。一つ上の世代の人たちにとって、祝儀袋のやりとりは情誼を表すだけでなく、一種の投資のようなものなのだ。自分たちが祝ってもらえる立場になる「その日」が来るのを待ち、それまでの投資を回収する。妹の結婚からずいぶんたって、私が婚姻届の提出だけで結婚の手続きを済ませると決めたとき、母がひとしきりブツブツ文句を言ったのも無理はない。

身近な人たちが皆、妹の婚約披露宴の準備に追われていた頃、独り家に残った私は時々マンションの屋上に行き、コンクリートでできた給水塔のてっぺんによじ登って座り、太陽が沈むのをぼーっと見ていた。何度もそこに登るうちに、ここから飛び降りてしまえば、この世のすべての厄介事から解放されるんじゃないか？　と、考えたこともあった。当時まだどう向き合えばよいのか分からなかった子供の頃の秘密も含めて、すべてが粉々に砕け散ってしまえばどんなに楽だろうか、と思った。そのたびに下の方をのぞき込んだが、十二階という高さに両足がすくみ、頭皮がぞわぞわし、背筋にひんやりとしたものが駆け抜けた。そしてこう思わずにはいられなかった――飛び降りても死にきれなかったら？　そうなったら、さらにみじめなだけだろう。

高所恐怖症で臆病で、屋上を徘徊することしかできなかった当時の自分に、心から感謝したい。あの時私に飛び降りる勇気がなかったから、今こうして、前に進み続けることができているのだ。

コンクリートの給水塔に座って過ごした時間は、ずいぶん長く感じられた。座りながら母の借金問題をどうやって解決しようかと、ずっと考えていた。それから、とりあえず丸一日時間を作って、銀行に行き、行政書士の元を訪ね、それからサラ金や互助会の長に電話をかけることにした。まずは母のローンの額と、標会に納めなければならないお金と、サラ金に借りている金額を一つ一つ整理し、リストアップする。それから毎月何日に、どこ宛てにどんな方法で、いくら返済しなければならないのか、そして借金の利息の計算方法から、返済できなかった場合のことまで、すべてを表紙が黒いプラスチックでできたメモ帳に記した。ぎっしり書き込まれたメモを見て、状況は思ったほど悪くはないのではないかと私は一瞬思った。少なくともこの小さなメモ帳に集約できることがすべてだったからだ。

まだ一銭も返済できたわけではなかったが、自分がこれから何をすればよいかが明らかになったことで、不安を抱えてただ座り込んでいた時よりも、気持ちはずいぶんと楽になった。

屋上から自分自身とメモ帳を抱えて八階の我が家に戻ると、ちょうど妹が電話でブライダル会社の人とドレスの試着日を決めるところだった。もう何日もしないうちに、彼女の未来の片割れが、妹を娶《めと》りにやって来る。部屋で独り、電話越しに自分の結婚準備を整える妹。そして彼女の後ろにある窓からは、温かな夕日が差し込み、きらきらとした光が妹の輪郭を包み込んでいた。

一緒に暮らした小さな部屋の中は、喜びとやるせなさが入り混じった、複雑な空気で満たされていた。私は妹を抱きしめて、どこにも行かないで、と言いたかった。妹に婚約披露宴を欠席したことを謝りたかった。結婚おめでとう、と言葉にしたかった。ごく自然な気持ちを妹に伝えたかった。けれどそれと同時に、母の借金問題を私一人に押し付け、どうしてこの家を出ていくことができるのかと、妹を責めたい気持ちでいっぱいだった。

さまざまな思いや言葉は、お決まりのパターンでねじれてごちゃっとした塊になり、胸と喉につかえてしまった。どうやってもそれを口から出せなかった私はやっとの思いで、でも何でもないような顔をしてひと言、「ドレスの試着に付き合うよ」とだけ妹に伝えたのだった。

まだ夕日に照らされ、光を放ち続けていた妹は、突然私の方に顔を向けるとぱっと笑顔になり、うん、と答えた。注意していないと見逃してしまうくらいの、ほんの一瞬の間に、私と妹が言葉にできなかったすべてがあった。

十数年という時間は、銀河にとってはほんの一瞬で、十分な思い出を残すには短すぎた。でも、ずっと一緒に行動を共にしていた小さな惑星は、見る見るうちにそれ自体が光と熱を発し、他の惑星をしっかりと牽引する恒星へと変わっていった。妹が新しい役で人生の新たなステージに踏み出すのを見ながら、私は突然、この上なく大切なことを妹が教えてくれたことに気が付いた。

私たちは、自分以外の惑星が軌道を変えることを阻止する必要はないし、阻止することもできない。私たちがしなければならないのは、自分自身の運行軌道を変えていくことなのだ。

妹が嫁いだ翌年、私は蘆洲のマンションを売却して、サラ金からの借金と、二重ローンを完済することにした。これであとは、叔父の家を担保に借りた八十万元余りを返済し、すでに融資を受ける権利が消滅してしまった標会に、掛け金を納めるだけとなった。借入先がまともな経営をしている銀行と、話の通じる情に厚い互助会のおばさんたちだけとなり、私にのしかかっていた肩の荷は、あっという間に軽くなった。

　マンションを売却して割とすぐに、母は新たにできた恋人の麗おばさんと一緒に住むために、彼女の家に引っ越していった。三峡にあるその家のそばには野菜を育てられる畑もあった。母と麗おばさんは連れ立って未加工のビンロウを仕入れに行き、近所の地鶏料理屋（土雞城《トゥージーチェン》）で小さなビンロウ売りの屋台を始め、自給自足の快適な生活を楽しんでいた。一方、私は住む家を失った。そして心から母に失望した私は、二十年余り生活を共にしていた母の元を初めて離れ、見知らぬ新竹の地で仕事に就いた。

　時として、別れはもう一度戻ってきてやり直すためだということを、当時の私は、まだよく分かっていなかった。

1……民間に古くから存在する、日本の頼母子講のような互助会。

第四章

同性を愛する母と女性たち

自分の子供時代を映画になぞらえるなら、真っ先に思い浮かぶのがペドロ・アルモドバル監督の作品だろう。アルモドバル監督の映画にさまざまな女性の思いや物語が描かれ続けるように、私の子供時代から十代の終わりにかけても、次から次へと女性たちが登場し、私を支えてくれた。見た目も性格も、そしてバックグラウンドも異なる彼女たちは、私が成長していく中で、庇い守ること、気を配ること、寄り添うこと、憧れを抱くこと、嫉妬すること、そして悟ることを教えてくれた。

母を取り巻く女性たちには、感謝しかない。彼女たちとの出会いを通して、私は自分自身を知ることを学んだ。

蓮《リエン》おばさん

物心がついて以来、私が最初に親しみを覚えた母以外の大人の女性は、母の幼なじみの蓮おばさんだ。母と同郷の蓮おばさんは、子供時代を母と共に過ごし、十三、四歳の時に母と同じように村を離れ都会に出稼ぎにやって来た。蓮おばさんはさらにその後、台北を離れ、離島に渡った。私たちがまだ中和の家にいた頃、蓮おばさんは半年に一度のペースで我が家に来てくれた。蓮おばさんが遊びに来ることが分かると、私と妹は大喜びでおばさんの到着を心待ちにした。蓮おばさんといえば、私たちにとっては海苔とお土産の人だった。安くないからと、母があまり買ってくれなかった海苔を、蓮おばさんは我が家に遊びに来るたびに、それも高岡屋の赤い箱に入った進物用のものを、必ず持ってきてくれた。私と妹は箱を開け、小分けになった海苔の袋が連なったものを取り出すと、ひと袋ずつ慎重に切り離してはアンタの分、私の分と分け合った。そうやって仲良く分けた海苔を、ちびちびとゆっくり食べるのが何よりの楽しみだった。

「私も愛されている」という感覚を私に初めて味わわせてくれたのも、蓮おばさんだ。

　蓮おばさんがお土産にくれたのは海苔だけではない。私の人生の、最初で最後のバービー人形も蓮おばさんがくれたものだった。生まれて初めて着せ替え人形を手に入れた私は、西洋人の顔立ちをしたお人形の髪を毎日のように丁寧に梳《と》かし、服を着替えさせ、大切に世話をした。けれど、バービー人形にも自分がやっているように開脚やブリッジ、牽亡歌陣の踊りや筋トレを毎日させたので、ひと月もたたないうちに金髪のバービーの足は完全に抜け落ちてしまい、どうやっても元には戻らなくなってしまった。にっこりと笑う足のないバービーは不気味で、それ以来、私はこの手の人形が苦手になってしまった。

　母は時々、蓮おばさんに「こんなに無駄遣いしちゃだめだ」と言った。苦労して稼いだお金なのだから、ちゃんと貯金しておかなくちゃ。すると蓮おばさんは笑いながら甘ったるい声で、大した額じゃないから心配しないでよ、と答えた。有名モデルの林志玲《リン・チーリン》の声をさらにか細く、甘くしたような蓮おばさんの独特なしゃべり声をずっと聞いていると、足元がフワフワするような、奇妙な感覚に襲われた。

　蓮おばさんはどうして我が家に来るたびに、私たちにいろんなお土産を買ってきてくれるのだろう？　母とは違い、いつも綺麗にお化粧をしている蓮おばさんは、離島でどんな仕事をしているのだろう？　子供だった私は興味津々だった。蓮おばさんは結婚をしておらず、恋人もいないようだった。故郷に暮らす年老いた両親の生活と医療費が彼女一人の肩にかかっていたので、すべての時間を仕事にあて、ひたすら金を稼がなければならなかったのだ。がむしゃらに働いたことで、蓮おばさんは節約してお金を貯め、早いうちに台湾の北部に自分の部屋を買うことができた。母が私と妹を連れて家から逃げ出した時、最初に身を寄せたのが、蓮おばさんのその部屋だった。やがて生活が落ち着いてきた頃に、母は私たちを連れて蓮おばさんのところを離れ、別の部屋を借りた。

　私たちが蓮おばさんの家を出て間もなくすると、蓮おばさんは離島の仕事を終えて本島に帰ってきたようだった。蓮おばさんの離島での仕事が、軍の慰安施設「特約茶室」で男性軍人に性的なサービスをする侍応生だったことを、私はその時初めて知った。どうりで蓮おばさんと母が、私たちのいる所で仕事の話をしなかったわけだ。必要以上にマイナスイメージを植え付けられたその職業は、人類社会がその存在を必要としているというのに、世間は彼女たちを卑しいものとさげすみ、存在を非難する。ずいぶん後になってから、私はNGOの仕事の関係で、セックスワーカーと彼女たちを支える「日日春関懐互助協会」に加盟する、公娼を生業とする女性たちと接することがあり、その時には蓮おばさんのことを思い出さずにはいられなかった。蓮おばさんと互助協会の女性たちには共通するものがあったのだ。それはしなやかさと強さだ。しなやかさと、強さを備えているからこそ、彼女たちは、使命感を持ってその職業に身を投じることができるのだ。家族のために己を犠牲にするのが、彼女たちの常だった。

それぞれが苦労しながらも、お互いを助け合うために最善を尽くすシスターフッド。蓮おばさんは片手に花を、片手に剣を携えた、任侠《にんきょう》味あふれる素敵な女性だった。

阿《ア》満《マン》おばさん

私にはたくさんの「義理のお母さん」がいたが、本当の意味で「義理のお母さん」と呼べるのは阿満おばさんだけだろう。阿満おばさんと母は牽亡歌陣の仕事を通じて知り合った親友同士だ。二人が出会ったのは、母が二十歳そこそこの頃のことで、私と妹がまだこの世に生を受ける前だった。阿満おばさんと母は、同じくらいの時期に結婚・出産を経験し、その後、母が自分の牽亡歌陣を結成した時に、阿満おばさんが団員として加わった。

　仕事仲間でもある阿満おばさんは、しょっちゅう我が家にやって来た。中和の家に暮らしていた時に始まり、私たちがそこから逃げ出し家を転々としていた間も、常にその時々に暮らしていた場所を訪ねてきてくれた。阿満おばさんは一七〇センチ近くある上背に、骨格もがっしりしていたので、実際の身長よりも大きく、たくましく見えた。そんな阿満おばさんと、身長一五〇センチに満たない私の母が並んで歩くと、まるで通りを練り歩く七爺八爺[1]みたいだねと、友人たちによく笑われたらしいが、私には阿満おばさんが母のボディーガードのように見え、とても心強かった。

　阿満おばさんには四人の子供がいて、一番上の子は私より一歳年上で、三番目と私の妹が同い年だった。学校に通えない私と妹のために、阿満おばさんは子供たちが使わなくなった小学校の教科書や参考書を持ってきてくれたが、私にはこれは本当にありがたかった。そのおかげで、私はたくさんの言葉を学ぶことができたし、それに自分が学校からそれほど遠く離れてしまったわけではないと安心することができたからだ。阿満おばさんの四人の子供たちは中学校を卒業すると、それ以上進学はせず、見習いとして働きに出てしまったので、私たちも教科書をもらえなくなってしまったのは残念だった。

だけど実際その頃には私も教科書や参考書に対する興味がなくなり、代わりに漫画書店に置いてあったホラー漫画や、倪匡《ニー・クァン》のSF小説シリーズに夢中になっていた。小説や漫画は、私を現実世界から一時的に解放してくれた。

若くして亡くなった阿満おばさんの旦那さんのことを、私はおばさんの家のリビングに飾ってあった白黒の遺影でしか知らない。写真の中の旦那さんはとても優雅で、阿満おばさんの見た目や性格からはかけ離れていた。それによくメディアで伝えられるような世間一般の未亡人像と違い、阿満おばさんには悲壮感がまったく漂っていなかったし、翳《かげ》りさえも見られなかった。私の知る限り阿満おばさんほどよく笑う人はいないし、話し声がとても大きかったので、阿満おばさんの行く先々は、たちどころに阿満おばさんのにぎやかな声で満たされた。

女手一つで、四人の子供と年老いた義母を養うのは容易なことではない。普段は私たちと牽亡歌陣の仕事をしていた阿満おばさんは、出番がない時には、建築現場のコンクリート職人や貯水タンクの清掃人、階段のペンキ塗り、野菜市場の運搬人、野外舞台のちょい役からバイク便の運転手、そして鶏卵の配達員に至るまで、どこから見つけてくるのか、ありとあらゆる仕事をこなし、片時もぼんやりとしている暇がなかった。

阿満おばさんがやっていたのは家の外での仕事だけではなかった。内職の仕事も請け負っていたのだ。内職のある日は、子供たちと年老いた義母を総動員して五、六人で車座になり、家の中に小さな生産ラインを築いた。いわゆる「家庭即工廠《ジァティンジーゴンチャン》（家が工場）」は一九七〇年代の台湾の経済状況を説明するときに登場する言葉だが、阿満おばさんの家でも、その光景がしょっちゅう繰り広げられていた。

私と妹もよく阿満おばさんの家で彼女の子供たちの「同級生」になり、一緒にさまざまな手工品の作り方を学んだ。陶土マグネットを作り、シャープペンに小さなバネを装塡し、パッチンバンド[2]に表面材を貼り、ぬいぐるみの中に押すと音の鳴る心臓部を取り付けた。

熱心に作業に励む私と妹の姿を見た阿満おばさんは、私の母に内職を請け負ってみたら、と勧めてくれた。私も妹も学校に通えずにいたし、牽亡歌陣の仕事も毎日あるわけではなかった。ひと月の少なくとも三分の一の時間を持て余しているのだから、内職すれば、ちょっとした小遣い稼ぎになるし、娘たちのそばに居てあげられて一挙両得じゃないの。内職の仕事にはまったく興味を示さなかった母だったが、阿満おばさんに言われたからか、おばさんの言い分が理にかなっていると思ったのか、遂には、内職の斡旋業者から材料が入った袋をいくつかもらってきた。しかし、それから三日もたたないうちに、母は内職の仕事に見切りをつけた。目が疲れる、というのが母の言い分で、確かに当時私たちの住んでいた部屋には窓がなく、昼間でも部屋の電灯をつけていなければならなかったうえに、内職をするために、さらにデスクライトで手元を照らす必要があった。おまけに三人では人手が足りず、作業が遅々として進まないし、丸一日かけて完成した内職で得られる賃金はわずかで、作業に掛かる電気代にすらならないほどだった。母はそれ以上何も言わず、まだ作業に取り掛かっていなかった分の袋を業者に送り返した。こうして我が家の内職体験は瞬く間に終了してしまった。

　内職のほかにも、何かにつけ阿満おばさんは、家を飛び出してきた私たちの世話を焼いてくれた。中和の家に戸口名簿を残してきたことで、私と妹は転校手続きをできずにいたの[3]だが、阿満おばさんはどうすれば私たちが学校に通えるかを考えてくれた。阿満おばさんの四人の子供たちは皆同じ小学校に通っていたので、その学校には阿満おばさんのことを知る先生がたくさんいた。そこで阿満おばさんは、私たち母娘のことを「三重の家に越してきたばかりで転入手続きがまだ終わっていない（ということにして）のだけど、子供たちの勉強を中断させるわけにはいかないので、私と妹が学校に通えるよう学校の事務局にお願いしたいのだけど、事務局に口添えしてくれないか」と先生たちに頼み込んだ。まずは私たち姉妹が学校に通えるようにしてもらい、転入手続きが終わってから以前に通っていた学校の学籍資料を補足してもらうよう、先生たちに言ってくれたのだ。

　思いがけず学校側がその陳情を受け入れてくれたので、私と妹は戸口名簿やその他の身分を証明する書類がないまま、阿満おばさんの四人の子供たちが通う二重小学校に通えることになった。この時、私が母の牽亡歌陣の仕事を手伝っておらず、学校をしょっちゅう欠席するようなことがなければ、おそらく妹と一緒に私もこの学校に通い続け、卒業証書をもらえただろう。

　転校手続きが不完全な上に、牽亡歌陣の仕事を理由に学校を休みがちだった私は、怪しげな児童として学校側からしっかりマークされてしまい、早々に転入手続きの進捗を追及されるようになった。一週目、私はまだ手続きが終わっていないと言い、学校側もそれ以上は聞いてこなかった。二週目は、前の週と同じように、まだ手続きが終わっていないと言う私に対し、学校側は早く手続きしてくれないとこちらが困ります、と言った。三週目、私は何も言うことができず、学校側も何も言ってこなかった。そして四週目。学校側はついに、手続きが完了できないのなら、これ以上学校も受け入れるわけにはいかない、という立場を示した。

　学校の先生に言われたことを母に伝え、次の日から私は学校に行かなくなった。

いまだによく分からないのが、私と同時に学校に通い始めた妹のことだ。一年生のクラスに再編入された妹もまた、身分証明書類を提出していなかったのだが、なぜか学校の事務局にそれをとがめられることはなく、妹は卒業の前日まで学校に通うことができた。牽亡歌陣の仕事にしょっちゅう借り出されていた私とは違い、妹は毎日時間どおりに同級生と一緒に登下校していたし、用事を理由に欠席を申請することがなかった。それに健康そのものだったので、病気で学校を休むこともなかった。問題なく学校に通えている妹については、学校側も手続きの不備に目をつぶってくれたのだろうか。あるいは、もしかすると、学校の事務局か担任の先生が、私たち姉妹の両方が学校に通えなくなるのはあまりに不憫だと同情してくれ、せめて妹だけでも学校で受け入れられるように、融通を利かせてくれたのかもしれない。

学校がどうしてそのような対応をしたのかは分からないが、私たちはとても運がよかったのだろう。少なくとも妹は学校に通うことができたのだ。だが卒業式の前日になり、妹は家で「卒業証書は欲しくない」と泣きだし、翌日学校に卒業証書を受け取りに行くことを頑なに拒んだ。彼女の住む小さな世界では、卒業証書をもらうということはつまり中学校に進学し勉強を続けなければならないことを意味していたようで、勉強にまったく興味のなかった妹にとっては、中学校に進学するということは、苦痛以外のなにものでもなかったのだ。

結局、母も無理に妹に卒業証書を取りに行かせることはなかった。母は我が家でただ一人、公的な学歴を持っているが、一枚の証書がその人の本質を表すわけではないし、それが何かの担保になったり、取り巻く状況を変えてくれるわけでもないということを、身をもって知っていたからだ。こうして妹は卒業式の一日前に自主的に学校を卒業し、晴れて私や母と一緒に牽亡歌陣の仕事をすることになった。

「窮すればすなわち変じ、変じればすなわち通ず」。このことわざは私に阿満おばさんを思い出させる。彼女は家族が生活していくために、できる限りの努力を惜しまなかった。それは、私の母や、母の周りの女性たちに共通する才能であり能力だ。あるいは、彼女たちの持つ宿命なのかもしれない。

阿満おばさんについては、もう一つ印象に残っていることがある。それは激昂し、手が付けられなくなった私の母に、真っ向から立ち向かう阿満おばさんの姿だ。母が正気を失い、私や妹に手を上げようとすると、阿満おばさんは身を挺して私たちを守ってくれたのだ。阿満おばさんは私たち姉妹と母の間にさっと割り込むと母の肩に手を置き、彼女の大きな体で母を私たちから引き離し、母に落ち着くように言い聞かせた。しかし、時々タイミングを逸して、阿満おばさんが母の一撃をもろに食らうこともあったので、「まるで私も、アンタたちと一緒に母さんに打たれて大きくなった、もう一人の娘みたいだね」と阿満おばさんは言うのだった。

当時、阿満おばさんが体を張って私たちから遮ってくれたものは、母が長い間、暴力を受け続けたことで抑圧され、ねじ曲がり生まれた怒りだった。阿満おばさんが庇ってくれたのは、私たち幼い姉妹だけではなかった。その怒りに囚われて抜け出せずにいた母のことも、守ってくれていたのだ。

「直きを友とし、諒を友とし、多聞を友とする」。正直さ、誠実さ、そして博識のすべてを阿満おばさんが備えていたのかどうかは分からない。だけど、打たれても、それを耐えて受け止めてくれるような親友に母が出会えたことは、私たち母娘にとって、とても幸運なことだった。

環《ホアン》おばさんと阿君《アジュン》おばさん

野外劇団の看板女優として苦旦《コートアン》[4]を演じる環おばさんは、私の母と同じように葬式陣頭の仕事もしていた。母とあまり年の離れていないおばさんたちには、それぞれ私と同じくらいの年の子供がいたので、とてもよく覚えている。環おばさんの一人息子は私と同い年で、阿君おばさんには私より一、二歳年下の娘、それに幼い息子もいた。子供たちとはたまに会うだけだったので、特に仲が良かったわけではない。それでも彼らの存在は私の孤独感を和らげてくれた……。正確には、こんなヘンテコな家庭環境に育つ子供は、この世に私だけじゃないんだと思わせてくれる存在だった。

　環おばさんはシングルマザーで、彼女の息子はまだオムツが取れる前からおばさんと一緒に舞台に出ていた。出番が来ると、環おばさんはトタン製の衣装ケースでぐるりと取り囲んだスペースに息子を入れてから、舞台に上がった。ゴザを敷き詰めた上をクッションマットやブランケットで覆ったそのスペースは、授乳やオムツを交換する場所であり、赤ちゃんのベッド兼ベビーサークルでもあった。舞台裏にいる仲間たちに目配せしてひと言声をかければ、皆が赤ちゃんの世話を手伝ってくれたので、環おばさんは心置きなく舞台の上で優美なヒロインになりきることができた。出産シーンを演じるときには、環おばさんは息子を舞台上に抱っこしていき、息子に生まれたばかりの赤ちゃんの役を演じさせた。それは環おばさんの人生がそのまま劇のワンシーンと重なる、母子そろっての舞台共演だった。

　劇団で演じていたのと同じく、実際環おばさんはとても美しい、悲劇のヒロイン苦旦そのものだった。人を惹きつける、愛くるしくこぢんまりとした顔に、整った鼻梁、笑みを湛えているかのようなヒシの実形のくちびる、そして今にも涙がこぼれ落ちそうな、潤んだ大きな瞳に、誰もが魅了された。

容姿に恵まれた環おばさんだったが、恋路は思いどおりにはならなかった。彼女が愛した相手は妻子ある劇団の団長だったのだ。やがて妊娠が分かり、団にいられなくなった環おばさんは独りで子供を産み育てるために別の団に移籍した。

劇団に所属する女性の知り合いが増えるにつれ、環おばさんのように妾や愛人といった、日陰に身を置く女性が少なくないことを知った。劇団の女性たちはしょっちゅう「美人は良い運に恵まれない」と、姉妹のことを思って悲しみ、あるいは自分の置かれた立場を嘆くのだった。

環おばさんと共に幼い頃から劇団の中で育った息子は、大きくなるにつれ、舞台にも少しずつ出るようになった。七、八歳の頃には、舞台に登場した途端に斬られて死ぬ兵士の役を演じ、それからもう少し大きくなると、白髭の老人役や扮仙戯《パンシエンヒ》[5]で激しいアクションを伴う孫悟空の役などを任されるようになった。

野外舞台の扮仙戯には二種類ある。一つは最もよく演じられる三仙会で、これは女性団員だけで演じることができた。もう一つは、比較的難度の高い酔八仙祝寿で、上演するには西王母の長寿を祝う孫悟空役を演じてもらうために、演劇学校の学生を招かなければならなかった。何度も宙返りをする孫悟空役は、武術アクションを学んだ者でなければ演じることができないからだ。

環おばさんの息子は演劇学校の訓練を受けたことがなかったが、幼い頃から依頼を受けてやって来る演劇学校の学生たちの厳しい訓練を見ていたので、見よう見まねでとんぼ返りやバク転を覚え、大きくなるにつれ、自然と孫悟空のアクションを習得していった。学生の出演料を節約できると、これには劇団オーナーも大喜びだった。

時々、廟からの依頼で大掛かりな酔八仙祝寿の舞台が行われるときには、母も私を連れて舞台を手伝いに行った。そんなときは私も頭に猿の耳飾りを付けて、環おばさんの息子と一緒に舞台上を飛び回る斉天大聖と子猿を演じた。

母に連れられて舞台の仕事に行くときには、私たちは野外舞台の劇を丸一日楽しんだ。それも舞台下の席をわざわざ買うのではなく、舞台上の、楽隊のすぐそばで観劇することができたのだ。舞台下の席に座っている子供たちの羨望のまなざしを受けながら舞台の上で劇を見ていた日々は、私の人生で唯一、優越感を感じることのできた時間だった。

環おばさんの息子も私も、幼い頃からいろんなことに思い悩むような、大人びた子供だった。彼が自分の出自について自ら人に話すことがなかったのは、周りの大人たちが本人よりも熱心にそれを話のネタにしていたからだろう。いつしか彼は、大人たちからあることないこと面白おかしく言われても、真剣に取り合わないことを覚えたようだった。あるいは、人は他人の痛みについて話すことで自分の傷を隠し、忘れようとするものだということに、早いうちに気が付いていたのかもしれない。

子供というのは賢いものだ。大人はそのことを信じようとしないのだけど。

阿君おばさんは、母と同じように陣頭のコミュニティで仕事をしていた。そして彼女もまた、私の母のように女性が好きな女性だった。母とは違い、阿君おばさんには男性との結婚経験はなく、彼女の二人の子供はパートナーと一緒に迎えた養子だった。独身者は養育者になれないという法律上の制限がなかったので、阿君おばさんとパートナーは早い時期に、独身者としてそれぞれが男児と女児を引き取った。こうすることで子供同士は一緒に過ごす相手ができるし、それぞれが一人ずつと縁組したことで、阿君おばさんとパートナーが子育てに対して負う責任もフェアなものになった。

子供たちを溺愛していた阿君おばさんは、娘や息子にはいつも小綺麗な、新品の洋服を着せていたし、おやつは品質の良い海外製のものを与え、さらに自宅リビングの一角を子供たちのための遊び場にしていた。アルファベットが印字された色鮮やかなクッションマットの敷かれたそのスペースには、滑り台やブランコ、木馬、それにＢＭＷを模した電動乗用カーもあった。

阿君おばさんの家には二、三度しか行ったことがないが、すでに幼児向けのおもちゃで遊ぶ年齢ではなかったにもかかわらず、リビングの片隅にあったその遊び場のことははっきりと覚えているし、私はそれがすごく羨ましかった。私たちをたった一度だけしか遊園地に連れて行ってくれなかった我が母と比べると、阿君おばさんとそのパートナーは、天国から遣わされた保護者のように思えた。

私は阿君おばさんの娘に会うのが楽しみだった。彼女は口数が少なく、それに自分の物を他人に喜んで使わせてくれるような子だった。彼女はよく襟にレースの縁取りがついた白いブラウスと、やわらかな色合いのミニスカートを着て、こざっぱりと身綺麗にしていた。年がら年中、正体不明のキャラクターのイラストが前面にプリントされたＴシャツに、同じ色の短パンを着せられていた私や妹とは大違いだった。私たちの服は、上下の組み合わせが決まっていればコーディネートに悩む必要がないし、安くて手っ取り早いからと、母が市場で気に入って選んだものだった。

後になって気が付いたのだけれど、阿君おばさんの子供たちに会うのが楽しみだったのは、彼らの家にいろんなおもちゃやたくさんのおやつがあったから、というだけではなかった。彼らが遊び相手であるかぎり、父親がいないことや、母親が二人いる理由を聞かれやしないかと心配しなくてよかったのだ。私たちは互いに、あれこれ説明する必要がなかった。

環おばさんと阿君おばさん、そして彼女たちの子供たちは、私にとって血のつながりはないが、親戚のような存在だった。私たちは皆、この社会の規格に適合しておらず、私たちの生い立ちには普通の人たちとは異なる、ヘンテコな要素が少なからずあった。まだ幼かった私はその違いのせいで、自分は他人よりも劣っていると思っていた。けれど成長し、年を重ねて分かったのは、そのヘンテコな要素があったからこそ私はありのままの自分に成長できたのだろうということだ。世界はこんなにも広く、時間は連綿と流れ続けている。その中に普通とはちょっと違う人生が少しも存在しないなんて、それこそヘンテコなことだ。

小春《シャオチュン》さん

小春さんは確か、母が初めて家に連れてきた恋人だ。

その頃私たちはまだ中和の家に住んでいたが、母はすでに自分の牽亡歌団を結成していて、小春さんは団員の一人だった。仕事仲間が家にやって来るのはよくあることだったので、父も家に出入りする小春さんのことを気にする様子はなかった……小春さんと母の関係が単なる団員と団長の仲ではないということを、父が気付いていたかどうかは分からないのだが。

　小春さんは母と同じく、台湾南部の出身だった。故郷も母の実家からそんなに離れてはいなかったので、小春さんが話す言葉の訛《なまり》は、母のそれにとてもよく似ていた。小春さんと母は十歳も離れていないので、母と知り合った時はまだ二十歳そこそこだったと思う。背は高くなく、線が細い割に肉感的な小春さんは、黒目がちな大きな瞳に、つやつやとした小麦色の肌、そしてアートメイクを施したかのような、深い色のくちびるの持ち主だった。ちょうど当時人気だった日本のアイドルの菊池桃子風のパーマがかかったセミロングスタイルの小春さんは、スタイリッシュで個性的な女性だった。小春さんはまだ若かったので、母は私や妹に彼女のことを「小春姉ちゃん」と呼ばせた。小春さんは、しょっちゅう近所の雑貨店で飴や駄菓子を買っては私たちにくれたので、面倒見のいいお姉さんっぽさを感じさせた。小春さんもまた私たちと同じように、着色料と人工香料でできた駄菓子が好きだった。

　さっぱりした性格の小春さんは、普段はとても穏やかで優しかった。だが嫉妬心に駆られると人が変わったかのように荒れたので、私は小春さんと母が単なる仕事仲間ではないことに気が付き始めた。

ある時、母と小春さんの共通の友人の小如《シャオルー》さんが、私と妹に服をプレゼントしてくれた。だがそれを知った小春さんが激怒し、小如さんがくれた服をすべて裁ちばさみで切り刻んでしまったことがあった。それ以来、母は小春さんの逆鱗に触れるのを恐れて、他人からの贈り物を受け取らなくなった。やむを得ず受け取っても、小春さんが何をしでかすか分からなかったので、彼女にはもらったことを内緒にしていた。

母の最初のガールフレンドが私たちと一緒に暮らした時間は短かった。子供っぽさの残る小春さんは、相変わらず何かあるたびにひどく取り乱したし、母も相変わらずほかの女友達にも一様に優しくしていたので、小春さんの気持ちが休まることはなかった。最終的には小春さんが母の牽亡歌団を離れ、よその土地で新しい仕事に就いたので、二人はめったに会うこともなくなり、自然と疎遠になってしまった。それから割とすぐに、私たち母娘は父親の元から逃げ出し、世間から姿を隠した。父親に私たちの行き先を知られることを恐れたのと、我が家の厄介事に周りの人たちを巻き込みたくなかったので、母は当時の知り合いともしばらくの間連絡を絶った。そのせいで小春さんとはすっかり音信不通になってしまった。

映画の撮影準備を始める前の二〇一四年、私は小春さんが同郷の男性と結婚し、今は台湾南部で相応の暮らしを送っていることを知った。私は小春さんの元を訪ねたいと思っていたが、彼女の現在の様子が分かると、割とあっさりとその思いを断ち切った。特に理由はないが、直感的にそうするのが一番いいと判断したのだ。小春姉ちゃんが元気で暮らしている、それが分かっただけで、私には十分だった。

　子供の頃の私は小春さんの、自分に素直で、ちょっぴりワガママな性格が時々妬《ねた》ましかった。好き嫌いをきちんと口に出せることは、若年者のあるべき姿だ。当時まだ十歳にも満たなかった子供の私と比べても、小春さんの方がピュアで、心で感じたことをそのまま表に出していたし、心に秘めた悩み事もそれほど多くはなさそうで、それが私は羨ましかったのだ。

　小春さんと過ごしたわずかな記憶の中には、忘れられない思い出がある。それは小春さんが私と妹を連れて外に出かけるときに、両手を握り小指だけを伸ばして、私たちが迷子にならないように左右の小指をそれぞれ私と妹に握らせてくれたことだ。誰でも自分より年上の人と手をつなげば、行き先がどっちの方向だろうが、どこに向かっていようが、この人と一緒なら何も怖くないと安心できるだろう。

　小春さんの後に、私と手をつないでくれる大人の人に出会うことはなかった。たぶん大人たちは私のことを、手をつなぐ必要がないくらい大きいと思っていたのだ。

娜《ナ》娜《ナ》さん

小春さんの次に母が家に連れてきた恋人が娜娜さんで、彼女がやって来たのは私たち母娘がすでに中和の家を出た後のことだった。

家を離れてから約一年後に母は陣頭の仕事を再開していた。我が家のパフォーマンスが口コミで評判となり、何件かの葬儀社が固定で仕事を回してくれるようになっていた。当時流行《はや》り始めたポケベルを契約し、葬儀社の主人たちと連絡が取れるようになった母は、それまでのように葬儀社に足繁く通い、店主たちとたばこを吸い、ビンロウを嗜《たしな》み、麻雀に付き合う必要がなくなった。

だからといって母が時間を持て余していたわけではない。たばことビンロウを手に相変わらず毎日のようにいそいそと出かけていたのだが、目的地は中和の廟の門前や葬儀社通りから台北橋付近へと移り、母はそこで歌仔戲《コアヒ》の野外舞台を楽しみ、老人茶室（伝統的な茶芸館）に入り浸っていた。時間とお金を投じて母が次に手に入れようとしたのは、仕事と金ではなく、ロマンスだった。

母の手元には、各劇団の団長が手書きした戯路表と呼ばれる公演スケジュールをコピーしたものが常にあった。Ａ４サイズくらいの大きさのその紙には、どの団がいつ、どこで上演するのかが詳細に記されていた。まだ経済が高度成長の真っただ中で、誰もが大家楽《ダージャールー》[6]に熱狂していた当時の台湾では、歌仔戯の野外舞台も盛んだった。大家楽に勝った大勢のラッキーな信者たちが、お礼参りをしに途切れることなく廟にやって来たからだ。千歳や王爺の諸神明や媽祖さまの聖誕祭の時期になると、劇団ごとにみっちりと予定の組まれた戯路表が作られ、毎週のように何ステージもの歌仔戯が上演された。私の母はその公演スケジュールをもとに、いつどこで観劇し、「友達づくり」に励むのかを検討していた。

野外舞台は午後三時と夜七時にそれぞれ一ステージずつ上演される。午後三時の公演は廟の関係者や神々に向けたもので、演目はお決まりの「扮仙戯《パンシェンヒ》」に始まり、伝統的な言葉遣いによる決まったせりふ回しで吟唱される、忠義・孝行・節操・道義や歴史故事を説く「古路戯《コーローヒ》」と呼ばれる古典演目が続けて行われるのが定番だ。そして夜になると一転して、今度は一般のお客さんに気軽に楽しんでもらう「胡撇仔戯《ホーピエッアヒ》[7]」が上演される。演目は家庭劇や道徳劇、それにラブストーリーや悲喜劇など内容もバラエティに富み、ドライアイスのスモークや、ミラーボールやワイヤーアクションによるきらびやかな演出が大勢の観客を魅了する。

しかし母にとっては、舞台上でどんな演目が演じられようがあまり重要ではなかった。むしろ母にとって大事なのは歌仔戯の開演前と、幕間の中休みの時間で、母はその時になると、竹でできた粗末な造りのはしごをよじ登っては舞台裏に上がり込み、頭に鬘《かつら》を被り、これからメイキャップする役者や、鬘にきらきら光る髪飾りを揺らめかせ、ばっちり舞台化粧で決めた役者に声をかけては彼女たちを口説いていた。

初恋の相手が舞台女優だったこともあり、母は北部の歌仔戯の劇団に知り合いが少なくなかったし、役者たちのほとんどは陣頭の仕事も兼ねていたため、母と彼女たちは基本的に同じコミュニティに属していた。社会的な立場も雰囲気も互いに似たり寄ったりなので、母と劇団員たちはあっという間に打ち解けることができたし、いくつかの劇団には気の置けない友人もできた。そのため、私にも複数の劇団に「義理のお母さん」がいた。劇団や陣頭のコミュニティに暮らす底辺層の女性たちは、同じコミュニティ内の他人の子供たちを、自分の義理の息子や娘として接した。それは彼女たちの助け合いの精神の現れであり、互いの誠意を示すやり方でもあった。

そんな中、私の義理のお母さんの一人が所属する劇団で、母は娜娜さんと知り合った。彼女と初めて会った人は、彼女の名前をニックネームか芸名だと思うだろうが、身分証に印字されているのは同じ文字を二つ重ねた娜娜《ナナ》という名前だった。

少女漫画に登場しそうなロマンチックな響きの名前にたがわず、娜娜さんはスレンダーで背が高く、まっすぐ腰まで届くロングヘアは毛先まで綺麗に梳《と》かしつけられ、片側の肩にまとめられていた。初めて彼女に会った時、まるで人の世に降臨した仙女のようだと思った。一六八センチのすらりとした長身に、猫のような軽やかな足取りで、まるで地面から浮いているかのように歩いた。

いわゆる外省人[8]第二世代の娜娜さんは、閩南人[9]が大多数を占める野外劇団の世界では少数派だった。演劇への興味が高じて、友達の紹介で劇団に入れてもらい、演劇を学んだそうだ。そんな娜娜さんは、私たち母娘が三重に借りた部屋にやって来て、一緒に暮らし始めた。母が彼女を家に連れてきたその日から、母は私たちに娜娜さんのことを「マミー」と呼ぶように言い、母と娜娜さん、そして妹と私の四人は、大きなベッドに並んで眠ることになった。母からはそれ以上何の説明もなかった。

母はいつもこんな調子で、私や妹に多くを語らなかった。よその家庭なら、親は子供に対し教養を与えるのだろうが、私の母が我が子に対して何かを「教える」ことはなく、ただ「養う」だけだった。

我が家で暮らし始めた頃の娜娜さんの本業は、舞台での歌や演技だったのだが、私たち母娘と一緒に牽亡歌陣に出演するようになってしばらくすると、葬式陣頭に出演することの方が増え、逆に舞台の仕事は少なくなっていった。大人二人、子供二人による一家の収入で、母は二年もたないうちにマンションの一室を購入した。頭金を支払った後、娜娜さんと私たち母娘は、母の買った蘆洲のマンションに引っ越した。そのマンションは共用スペースを除くと十八坪に満たないながらも、2LDKにベランダまで付いていた。

「好思家《ハオスージア》」というのがこの回廊型の大きなマンションに付けられた名前で、建設会社はその三文字をロートアイアン製の表札にして、マンションの入り口に掲げていた。ずいぶん後になって、マンション名の「好思家」が、映画『風と共に去りぬ』のヒロイン、スカーレット・オハラに付けられた中国語名「郝思嘉《ハオスージア》」になぞらえて、発音が同じ「好思家」の三文字が当てられていることに気が付いた。このマンションの建設を企画した人は案外、映画好きだったのかもしれない。

母がマンションを買ったのは、私たち母娘三人の戸口名簿を持つためだった。中和の家を離れた時に、私たちは中和の住所から転出手続きをしなかった。そのため母娘三人はずっと実体のない「幽霊人口」になってしまい、そのせいで私と妹は学校に通えなかったのだ。後になって、母の名義で家を所有することで、父との婚姻関係を継続したまま、母娘三人の戸籍を母名義の家に転籍できるということを、戸政事務所の女性職員が教えてくれた。

私たちは中和の家から逃げ出したが、私たちの三人の名前は、父を戸長（筆頭者）とする戸口名簿の中にとらわれたままだった。母にしてみれば、その状態では父の元から完全に逃げ出せたことにはならず、心の底からすっきりしたとは言えなかった。だから戸政事務所の親切な女性職員のアドバイスに従ってマンションの一室を買い、私たち母娘の名前を戸口名簿の中から救出したのだった。その当時、母にアドバイスしてくれた女性職員は、まさかその十数年後のある日、件《くだん》の戸口名簿にあった戸長の弟が彼女の救い出した名前と戸籍にたどり着き、消息を見つけ出すことになるなんて、思いもしなかっただろう。

娜娜マミーと私たちの生活は八年近く続いた。その八年間で、私は内向的で物分かりのいい子供から、だんだんと自分の殻に閉じこもったエキセントリックな少女へと成長していった。そして恋愛に興味を持ち始める年頃になると、私は娜娜さんと母の関係を通して愛の様相を観察し、認識を深めていった。

私の母はあらゆる手を尽くして恋人に優しくした。例えば、娜娜さんと一緒に喫茶店に入り、お茶請けにスイカの種が出てくると、母は一つ、また一つ、黒々としたしょうゆ味の種の殻を前歯で丁寧に割り、今度は手で薄く崩れやすい白い実の部分を完全無傷な状態で取り出しては、娜娜さんの前に丁寧に並べた。娜娜さんは母の並べた種の実の部分を、優雅な手つきで口に運んだ。

同じテーブルには、歯をむき出しにしてスイカの種と格闘する私と妹がいたので、娜娜さんはますます俗世離れした、仙女のようだった。

　恋人へのプレゼントを欠かさない母にとって、誕生日に翡翠のブレスレットや指輪、真珠のイヤリング、純金製のネックレスを贈るのは基本中の基本で、何でもない普段の時でも麻雀に勝てば気前よくボーナスを渡し、服やアクセサリーを好きに買わせたので、恋人に対する気配りも十分だった。

　実は、母が高価な品を贈った相手は恋人だけではなかった。母は私や妹にも純金製のブレスレットやペンダントヘッドをしょっちゅう買い与えてくれた。だが、母にとってそれはプレゼントではなく、現金を価値が変動しにくい金に変えて、手元に置いておくための手段にすぎなかった。身に着けておけば見た目もいいし、家に置いた現金をコソ泥に盗まれる心配をしなくていいと考え、母は手元に少しでも現金が残っていれば、それで金のアクセサリーを買った。当時、治安はそれなりに悪くはなかったとはいえ、派手に身に着けた金品を強奪される心配を母がすることはなかったし、それに当時は収入が不安定だったので、私たちにくれた金のアクセサリーは換金するために、あっという間に質屋に持っていかれてしまったので、私たちが身に着けることのできる時間はいつも短かった。要するに母は、私たち姉妹にアクセサリーを買い与えたわけではなく、私たちをアクセサリーの一時的なディスプレーや収納場所として利用していたのだった。

　異常なまでに潔癖症な母は、我が家の白いフロアタイルの上にごく小さな塵一つ、髪の毛一本が落ちているのに耐えられず、見つけ次第、私や妹を呼びつけては塵や髪の毛を拾わせていたが、自分の恋人にはそのような要求はしなかった。

　恋人というのは、手のひらの上に大切に載せて、自分は宇宙で唯一の、特別な愛情を注がれる一本のバラの花だと思わせるものだ、と母は言うのだが、宇宙で唯一のはずのバラはやがて、宇宙がほかにも存在し、それぞれの宇宙にもバラがあることに気付かされるのだった。

　娜娜さんと母が付き合っていた九年間で、母が浮気をしたのは一度だけではなかった。私が知る限りで二度あり、その二度とも「盛大な」ものだった。

　初めてよそに恋人がいることが娜娜さんに知られてしまったのは、母がその人と「駆け落ち」し、何日も家に戻らなかったからだ。その母の不在中に、妹が突然高熱を出した。妹を心配した娜娜さんは、母にそのことを知らせようと必死になって何度も母の携帯電話に電話をかけてくれたのだが、母が電話に出ることはなかった。その後、母の長年の親友である阿満おばさんがそんな母の態度にしびれを切らし、親しくしていた診療所の医者を巻き込んで、娜娜さんの自殺芝居を打ち、それにまんまと引っかかった母が、出奔先の南部から家に戻ってきたことがあった。

この出来事については、私が映画の撮影で娜娜さんと阿満おばさんを取材した時に、それぞれから話を聞くことができた。彼女たちの話は、まるで映画のワンシーンのように生き生きとしていた。まず阿満おばさんによる脚本は――最初に娜娜さんが母の携帯電話に、くどくど話すことも泣いて訴えることもせずに、ただひと言だけ「傷つきました。これ以上生きていたくない」とメッセージを入れる。それから、今度は阿満おばさんが「娜娜さんが睡眠薬で自殺を図った。薬をひと瓶飲んでしまったから、診療所に運ばれて、胃を洗浄しているところだ」とメッセージを入れる――というものだった。

二人からのメッセージを聞いた母は、自分から自宅に電話をかけてきた。娜娜さんは病院のベッドに寝ていることになっていたので、母からの電話には私が出た。娜娜さんが自殺を図ったのかと尋ねる母に私は阿満おばさんに言われたとおりに「うん」とだけ答えた。さらに搬送先はいつもの診療所かと聞かれたので、もう一度「うん」と言った。実際には、娜娜さんも阿満おばさんも私のそばにいて、母と私のやりとりにじっと耳をそばだてていた。

その時点では母はまだ冷静だった。私との電話を切ると、今度は診療所に電話をかけて事実を確認したのだ。しかしまさか医者までがこの芝居に加担しているとは思わなかったのだろう。阿満おばさんの完璧なシナリオにだまされた母は、その日の深夜に家に戻ってきた。

娜娜さんによれば、その夜、娜娜さんと阿満おばさんは長時間診療所の外の車列の影に身を隠して母を待ち伏せし、その後母が診療所に姿を現したところを捕まえ、二人で引きずって家まで連れ帰ったのだった。

駆け引きにアクション、さらに痴情のもつれ——母のラブストーリーはスパイ映画に負けず劣らず情彩を放ち、そして荒唐無稽なものだった。

駆け落ちしたのち、だまされて家に戻ってきた私の母は、それから二年もたたないうちに、再び別の人のことを好きになってしまった。だが今度は、母が家を出ていくことはなかった。母の浮気に耐えられなくなった娜娜さんが別れを選んだからだ。母が恋に落ちた新しい恋人は、かつて娜娜さんが所属していた劇団の人で、娜娜さんの親友だった。二人の仲が発覚する以前から、阿満おばさんは娜娜さんに、母とその女性の関係に気を付けた方がいいよと忠告していたそうだが、娜娜さんは聞く耳を持たなかったという。阿満おばさんは娜娜さんのことをいつまでも「本当におバカな、世間知らずな子だよ」と言うのだった。

双双《シュアンシュアン》さん

娜娜さんが我が家を去って割とすぐに、娜娜さんのかつての親友で、私と妹にとっての「新しいおばさん」が家にやって来た。双双さんは、私が出会った母の歴代の恋人の中で一番あだっぽい人で、母の名を呼ぶ声はかすれ気味の、でも優しいものだった。

双双さんの実家には多額の借金があった。借金を作ったのは彼女の母親で、双双さんと彼女の妹は、幼い頃から劇団に入って演技や歌劇を学び、母親の借金の返済を手伝っているのだと、母から聞かされていた。双双さんに相当惚れ込んだ母は、歴代の恋人にしてあげたのと同じように双双さんに接しただけでなく、彼女の実家の借金までも、すべて肩代わりしようとした。標会からの融資や借金をためらわなかっただけでなく、娜娜さんと一緒に購入したローン返済中のマンションを抵当に入れ、さらに叔父の家を担保に金を借り、双双さんの実家の借金返済に充てた。

恋愛感情がもたらすリスクを回避するための愛情保険というものが存在するのなら、私は母のために高額な掛け金を支払うだろう。

結局、双双さんと母は三年足らずで別れ、その後、双双さんは別の人と付き合い始めた。彼女の新しい恋人は母より若く、家は慶事から法事に至るまで、ありとあらゆる陣頭の仕事を引き受ける「陣頭センター」を経営していた。双双さんとの別れが相当こたえたのだろう。その頃の母は、多めの睡眠薬を飲み、二、三日眠り続けることを繰り返していた。ある時、阿満おばさんがいつもの診療所から医者を連れてきてくれた。医者が母を眠りから覚ますために打ってくれたあの大きな点滴のビンの中に入っていた透明な液体が何だったのか、私には知る由もないが、その液体は確かに母を薬から目覚めさせたのだった。

母が目覚めるや、阿満おばさんは「なんでこんな事したの！」と、ものすごい剣幕で母を怒鳴りつけた。「年端も行かない娘二人を残して、アンタどうするつもりなの⁉」。まだ睡眠薬の影響が残っていた母は、朦朧として阿満おばさんの言葉に反応することもままならなかったのだが、やがて「ここから出て行って、どでかいことをやってから死んでやる！」と叫んだ。そんな母に阿満おばさんは「アンタにはこれ以上関わりたくない」とすっかり愛想を尽かし、私と妹に母をしっかり見張っておくように言い残して、出て行ってしまった。

私がまだ十八歳になったばかりの頃の出来事だった。

子供の頃から瓊瑤《けいよう》のドラマや花シリーズ[10]が大嫌いだったのは、そこに描かれる「愛」があまりにも現実離れした、綺麗事だったからだ。「愛」とは一筋縄ではいかないものだということを、私は実体験から学んでいた。誰かを好きになり、その人を追い求め、そして最後には別れるという一連のサイクルを絶え間なく繰り返す母。そんな姿を幼い頃から見てきた私は、自分よりも積極的に、恐れることなく愛に向かっていく母のことを尊敬せずにはいられない。

己の人生の欲するところを追い求める勇気を失うことがないように、と願うばかりだ。

麗《リー》おばさん

私が出会ってきた母の恋人の中で、麗おばさんだけが母よりもずいぶん年上だったし、私も妹も、麗おばさんのことが大好きだった。長く生きてきた分だけ世間のことがよく分かっていたし、八點檔《バーティエンタン》[11]並みの波乱に富んだ半生を送ってきただけあって、人との関わりに長《た》け、おまけに快活でありながらも穏やかな性格の持ち主だったので、麗おばさんと付き合いのある人が、麗おばさんを嫌いになることはまずなかった。

麗おばさんが台湾語を流暢に操るので、大抵の人は彼女を台湾南部の出身だと考えるようだが、麗おばさんは台北生まれ台北育ちの台北人だ。麗おばさんの父親は音楽制作を学ぶために若くして日本に渡ってしまったため、麗おばさんの家は母子家庭だった。日本で暮らす父親には、台湾に住む家族の生計を支える手立てがなく、生活は困窮を極めていた。女手一つで子供たちを養っていた母親は、口減らしのために麗おばさんを養女に出すことにした。

当時八、九歳だった麗おばさんは物静かな美しい少女に成長していた。聡明で、人懐こそうな彼女のことを養女に迎えたいという人は、すぐに現れた。だが、養子縁組の話がまとまったあとで、養家の人が占い師に麗おばさんの生年月日を見てもらった結果、麗おばさんは母親の元に返されることになってしまった。占い師が「この子とあなたたちには縁がない上に、彼女は後に、自分の親きょうだいや子供のカルマ（因縁債）をすべて引き受ける運命にある。その責任は重く、養女に迎えるとあなたたちに大変な負担がかかる」と告げたからだった。

こうして麗おばさんは、自分を手放した家へ出戻ることになった。

その占い師のお告げは、遠からず当たっていたのだろう。家に戻った麗おばさんは、もし家にお金が必要なら、歌仔戯の劇団に入って、歌と演技を身に着けてお金を稼ぐわ、と母親に申し出た。父親の知り合いに劇団の団長をやっている人がいて、その人の下で子供たちが演技を学んでいたのを覚えていたのだ。それは、まだ子供だった彼女が考えられる最善の方法だった。

麗おばさんの母親は娘の提案を受け入れ、麗おばさんは劇団で歌と演技を学ぶことになった。その時から、彼女は家族のカルマを引き受け始めた。もともと才能に恵まれていたのか、それともこの道に進む運命だったのか、子供の頃の麗おばさんは人並み外れて音感も記憶力もよく、たくさんの複雑な曲調と歌詞をあっという間に暗唱してしまった。そこで劇団のオーナーは歌仔劇の舞台に彼女を立たせるだけでなく、彼女を各地で開かれる市に連れて行き、歌仔賣藥《コアベイヨア》[12]をやらせた。すると麗おばさんはたったの二日間で、純金の指輪が買えるくらい売り上げ、それは大勢いる大人の薬売りたちの稼ぎよりも多かった。

一九五〇年代はラジオが最盛期を迎えていた。大人になった麗おばさんは台湾各地の七つものラジオ局と契約を交わし、毎週のように順番で歌仔戯の番組を収録していた。その頃には麗おばさんはプロの唸歌の唄い手として活躍していた。八十歳を過ぎた今も、麗おばさんは時々舞台に立っている。

メディアがこぞって「台湾の国宝」の愛称で彼女のことを報道した。だが「国宝」の二文字は新年や祝賀行事、それに廟の神様の誕生祭に、彼女に出演の機会を増やしただけで、瀕死の危機にある伝統芸能を文化組織や団体に重要視させるには至らなかったし、彼女の人生にも大きな変化は起きなかった。

唸歌だけでなく、麗おばさんは時々、野外舞台の芝居の筋を口頭で再現する講戯《コンヒ》を手伝い、ちょっとした収入を得ていた。夜の舞台で演じられる「胡撇仔戯《ホービエッアヒ》」にはたくさんの演目がある上、詳細を記した台本が存在しない。役者のほとんどが貧しい家の出身で、皆が皆、文字を読めるわけではなかったので、劇の内容は口承で引き継がれ、文字で記録されることがほとんどなかったのだ。作り込まれた演目の一つ一つは、ベテラン役者の頭の中に記憶されていた。よって劇団に新人が加わったり、芸歴が長い役者でも演じたことのない演目を上演するときには、物語を記憶している人間語り部マシーンのようなベテランの役者や唄い手から、物語のあらすじや、登場人物一人一人のせりふや歌詞を聞き出す必要があった。

麗おばさんが読める文字は限られていたが、恐るべき優れた記憶力で、これまでに唄い覚えた演目は少なく見積もっても百を超え、それらはすべて彼女の財産となっていた。劇団が廟公[13]や爐主[14]からのリクエストで、これまで演じたことのない演目を行うようなときには、劇団は麗おばさんに講戯を依頼し、これから演じる物語を語ってもらっていた。常日頃から劇団に入り浸って観劇していた私の母は、こうして劇団に呼ばれてやって来た麗おばさんと出会ったのだった。

初めて麗おばさんに会った時、その豊満な体つきと誰にでも笑顔を見せる丸い顔が、まるで弥勒佛《ミールーフォー》[15]を女性にしたみたいだと思った。台湾の中高年女性が好むチリヂリパーマの髪を、耳の下くらいの長さでそろえたその後ろ姿は、ちびまる子ちゃんの変型版のような趣だった。おしゃれには気を遣うが、倹約家でもある麗おばさんは、自分で髪を染めていた。私も何度となく、彼女の髪染めを手伝ったが、味もそっけもない黒髪を嫌った麗おばさんの頭髪は、一定の期間を置いて、コーヒー色、オレンジ、紫、プラム、鮮やかなブルー、そしてトーンは抑え目だが何とも奇抜なグリーンへと、あらゆる色に変化していった。

私も妹も麗おばさんが好きだった。これまで付き合ってきた恋人たちのように母が面倒を見てあげるのではなく、麗おばさんが母の面倒を見てくれたからだ。母は面倒見のいい、典型的な「パパ」タイプで、付き合う女性には必ず金目の物や宝石を贈り、現金を貢いできたのだが、収入より支出が多ければ、よそから借金をしてまで恋人に貢ごうとするのが、私には理解不能だった。麗おばさんと母が出会った当時はちょうど、母の借金返済の一部に充てるために私がマンションを売り払う準備をしていた時だったので、麗おばさんは母からの物質的な贈り物を一切受け取ろうとしなかった。それだけでなく、マンションを売却した後は、母を自分の家に住まわせてくれたので、私たちもとても助かった。

ほかにも、私たちは麗おばさんの楽天的な性格が好きだった。麗おばさんが怒りで我を失うようなことはなかったし、それどころか母の情緒不安定で起伏の激しい、常軌を逸した性格をコントロールする術を心得ていた。母の荒れた気持ちを鎮めるために、麗おばさんは唸歌で母に物語を唄ってやった。麗おばさんがユーモアあふれる一節を唄って聞かせると、不思議なことに、猛烈な怒りでこわばっていた母の顔は笑顔になり、麗おばさんの唄を聞いている間はすっかり怒気を忘れてしまったようだった。そんなときの母はまるで子供みたいだった。

麗おばさんは実の母親のように、私の母の面倒を見てくれた。そして母のことをかわいがるあまり、妹の二番目の子供の世話まで引き受けることになった。

結婚後も夫の実家の牽亡歌陣を手伝っていた妹は、出産予定日の二カ月前まで、開脚やブリッジ、宙返りなどの動きの激しいパフォーマンスこそしなかったものの、陣頭に出演していた。子供が生まれてひと月ほどの、産後の体を静養する坐月子《ズオユエズ》を終えた妹は、子供のミルクやおむつを買うためにたくさん稼がなければという気持ちに突き動かされ、収入のないまま母親業を続けることはせず、人手を必要としていた夫の実家の家業を再び手伝い始めた。妹に仕事復帰をためらう暇はなかった。人生の中で何か大きな変化が起きたとしても、生活は営み続けなければならないのだ。

妹が産後すぐに長女を連れて仕事に復帰できたのは、団員のほとんどが夫の家族だったこともある。融通の利く環境では、小さな赤ちゃんを一人世話をすることなど大したことではなかった。ただ、長女を出産して間もなく、妹は次女を妊娠したのだが、今度は子供の面倒を見てくれるベビーシッターを雇わなければならなかった。雇うとなると、稼いだ金はすべてベビーシッター代に費やすことになる。どう計算しても割に合わないと考えた妹は、とうとう母に助けを求めることにした。

最初の頃、妹は陣頭に出るときだけ次女を三峡にある麗おばさんの家に預け、仕事を終えたら次女を引き取り自分たちで面倒を見た。だが、陣頭の仕事がまだ現在ほど低迷していなかった当時、仕事はひと月の半分以上にも及んでいた上に時間も不規則で、夜が明ける前に出発しなければならないこともあれば、真夜中に帰宅するなんてこともざらだった。仕事の時間が変則的な上に、ますます活発に動き回り、破壊力を増した一歳すぎの長女を仕事に連れて行っていたため、妹も妹の夫も仕事が終わる頃にはへとへとに疲れ果ててしまい、すぐに次女を家に連れ帰り、世話をすることなど到底できなかった。最終的に妹の次女は二歳になるまでに、両親よりも母と麗おばさんとの元で過ごす時間が長くなり、すっかりおばあちゃんと麗おばあさんに懐いてしまった。

やがて母と麗おばさんの仲は終わってしまうのだが、その理由を私も妹も知らない。二年前に映画の撮影でインタビューをした時に、どうして別れてしまったのかを聞いてみたのだが、母も麗おばさんも示し合わせたかのように「ずいぶん前のことだから忘れちゃったね」と答えるのだった。実際に、過去のことは忘れてしまったのかもしれない。だが、「今も元気にしているの?」と相手の近況を気に掛ける気持ちは、人として最も成熟した態度といえるだろう。縁のあるときは共に寄り添い、縁がなくなった後も、互いに相手の安穏を願うのだ。

これが、これまでの人生で出会った女性たちが、私に教えてくれたことだった。

1 道教の神様。土地の守り神・城皇公に仕えボディーガードの役割をする背の高い七爺と背の低い八爺のこと。

2 細長い板状のものを腕にたたきつけると、ワンタッチで巻き付くバンド。

3 小学校を転校する際には、元の学校から転学証明書を発行してもらい「戸口名簿」原本と共に転校先に提出し、手続きする必要がある。

4 歌仔戯に登場する悲劇のヒロイン。

5 神に対し、公演が行われることを告げる儀式的な演目。

6 政府発行の宝くじの当選番号を賭けの対象にした非合法ギャンブル。

7 その時代の社会や文化を風刺した内容を口語によるせりふ回しで演じたもので、伝統的な演目とは区別される。胡撇仔は台湾語で「でたらめ」を意味する、日本語の「オペラ」に由来するなど諸説ある。

8 国共内戦時に蒋介石とともに台湾に渡ってきた中国人。

9 清の時代に中国南部から台湾に渡ってきた人々。本省人とも。

10 タイトルに花の名前が付く、一九八八年から二〇〇〇年まで台湾の中視で毎週日曜日に放送された、愛憎劇メインの連続ドラマ。

11 平日の夜八時《ゴールデンタイム》に帯で放映される、メロドラマ調の話数の多い連続ドラマ。

12 吟唱で客寄せをして薬を売る、昔ながらの実演販売。

13 廟の管理者。

14 神事や祭祀の一時的なスポンサーとなる信徒。

15 台湾の弥勒菩薩は日本で一般的に知られる弥勒菩薩とは違い、布袋様のような見た目である。

第五章

記憶の中の家

あらためて数えてみると、我が家は二年に一度のペースで住む場所を転々としていたようだ。引っ越す理由はその時々で違っていて、自主的に住所を変えたこともあれば、転居を余儀なくされたこともあった。最初に母が私たちを連れて家を出た時は、父に居所を嗅ぎつけられることを恐れ、一年間の賃貸契約が終わるとすぐにそこを離れた。部屋も場所も恵まれた物件を探すのは簡単ではなかった。近所にＭＲＴ捷運が開通することになり、大家が家賃を値上げしたことでお金を支払えなくなり、新たに住む場所を探さなければならなくなったこともあった。入居当初に大家が壁を塗り直してくれたが、それは親切心からではなく、壁の白華現象を隠すためだったということが、一年間住んだ後に発覚したこともあった。ぼろぼろと剥がれ落ちる塗装のカケラと浮き出る白い結晶を目にした私たちは、仕方なくその家を引き払った。出産を経た私は「孟母三遷」の精神で子供のために安心して住める環境を無意識のうちに求めるようになり、常に次に住む場所を探し続けている。

住んだことのある住所は時間とともに増えていったが、「家」という言葉から真っ先に脳裏に浮かぶのは、三十年前に私たち母娘が逃げ出した、あの場所だ。

物が押し込まれたあの狭く小さな空間の中で起きたたくさんの出来事は、激しい嵐のような、思い出したくもないようなこともあれば、味のない水のような、平凡なのに忘れ難いものもある。

小さなちゃぶ台

当時、我が家が食卓として使っていたのは、天板に注音符号表と掛け算九九がプリントされた折り畳み式の木製のちゃぶ台だった。母と妹、私の三人はいつもその小さなちゃぶ台を囲んでご飯を食べていた。もっともそのちゃぶ台で……食らったのは食事だけではなかった。私はそこで、一体何発の鞭を食らったことだろう。二、三歳の頃の私は食が細く、お粥や柔らかく炊いたご飯を食べさせても、それを口の中に含んだまま上手く飲み込むことができなかった。そこで母は竹林から拾い集めてきた細い枝で作った鞭を手元に置いておき、私がご飯をひとくち口に入れると、ピシっとそれで私を打った。私は泣きながら口をもぐもぐ動かし、やがて喉に流れ込んできた涙とともに、口の中のものをようやくゴクンと飲み込むことができた。

私たちを打つために母が拾ってくる竹の細い枝が家の中からなくなることはなかった。私は母が家を留守にするたびに、枝を窓から階下に投げ捨てていた。粘着テープで束ねられた細い枝が、真っ逆さまに二階の雨除け用の庇に落ちるのを見届けるたびに、これで母が私をたたく道具がなくなったから二度と打たれなくて済むと思っていたが、母は家のどこかに隠しているのか、新しい竹鞭を取り出してくるのだ。いったいどれだけの竹の枝が家に常備されていたのかは謎だ。ちゃぶ台は食卓のほかに、宿題をするための勉強机にもなった。私が学校に通えたのはたったの三年間だけだった。早い時期から、学校に通える期間が短いことを予感していたのか、それとも単に学校に行って勉強するのが好きだったのか、通学していた三年間、私は毎日のように早起きしては、自ら身支度を整え、一人で登校していた。[1]一番乗りで学校に着くと、教室に上がる階段の鉄門にはまだ鍵がかかっていたので、私は校庭のブランコに座り、先生たちが門を開けに来るのを待った。放課後も寄り道することなく帰宅し、自主的に宿題を終わらせたので、母に「宿題をやりなさい」と言われたことは一度もなかった。

成績はあまりよくなかったけれど、勉強やテストに関することで私が母に打たれたり、叱られたりすることはなかった。母の物事に対する判断基準や考え方によれば、子供はよく食べ、よく育ってくれればそれで十分で、母がそれ以上を望むことはほとんどなかった。母にとっては、子供が平穏無事に生きられることが、すでに容易なことではなかった。

大同電鍋

陣頭の仕事がない日は、母がご飯を作り、私と妹に食べさせてくれた。外で買ってくるよりも自炊した方が衛生的だから、と母は言っていたが、自分で作った方がお金の節約になるというのが本音だったのだろう。

母はよく、大きな鍋で鹹粥《シエンジョウ》（雑炊）を作ってくれた。ヘチマとハマグリの鹹粥、ニンジンと排骨《パイグー》の鹹粥、しらす鹹粥、虱目魚《ミルクフィッシュ》の鹹粥、それに龍葵《イヌホオズキ》の卵とじ鹹粥など、バリエーションはいろいろだった。滷肉《ルーロー》や滷蛋《ルーダン》（煮卵）、それに油豆腐《ヨウドウフ》（厚揚げ）と大根の煮物を作ってくれたこともあった。白飯があればそれは何食分かになった。これらの料理はすべて、緑色の大同電鍋[2]が一台あれば作ることができた。

母が料理をするときはいつも、私はそばに立って、母の穏やかな横顔を見ていた。我が家が借りていた部屋と同じくらいの広さがある共用キッチンで、米を研ぎ、野菜を刻み、骨付き豚肉を切り分ける母。キッチンに並んだ大きな窓からは太陽の光が差し込み、その光が母を照らすわずかな時間の間だけ、世の中の恐ろしいものはもう何も存在せず、この場所だけが世界のすべてであるような気がして、私の心は安らいだ。タイル張りのシンクに調理台、いろんな模様や色の、市場で売られているような安っぽい食器、一口コンロの青いガス火にかけられ、ぐつぐつと煮える鍋。あるのは飾り気のない、ごく日常的なものばかりだったが、そこはかりそめの、私のためだけに作られた、いい匂いでいっぱいの天国だった。

オレンジ色の洗面器

中和で借りていたアパートには、住人のための共用の浴室があった。浴室に浴槽はなく、シャワーもなかったので、体を洗うときは、白いタイル張りの壁にある二つの蛇口から、オレンジ色のプラスチックでできた洗面器に水を溜めて行水した。本来なら青い丸のついた蛇口からは冷水が、赤い丸のついた蛇口からはお湯が出るはずなのだが、なぜだか母はいつもキッチンのコンロで鍋に湯を沸かし、それを浴室に運んで使っていた。

まず浴室で洗面器の半分くらいまで水を入れると、母はいったん浴室を出てキッチンに行き、ガスコンロで湯を沸かしておいた大鍋を、ぼろ布を鍋つかみ代わりにして浴室に持ってくると、水を入れておいた洗面器に鍋の中の熱湯を足しながら、温度を調整した。そうして洗面器いっぱいに作ったお湯で、私と妹、そして母自身の体を洗った。

行水のときには母が話を聞かせてくれたが、内容はいつも代わり映えしないものだった。ある時期、母が私と妹に「死んだって誰も泣かない人」という言葉を教え、父のことはそう呼ぶように言ったことがあった。台湾語の「死んだって誰も泣かない人」の発音が難しくて、妹が舌足らずに「死んで泣くねー」と言うので、それを聞いた私と母はおかしくて笑った。

　私の父は客家人だったが、父が客家語を話すところを私は見たことがない。もっとも、母を罵倒するときを除いて、父の声をほとんど聞いたことがなかったのだが。父方の祖父母に何度か会いに行ったことがあるが、言葉が分からない私に対して、祖父も祖母もかまわず客家語で話しかけてきた。それがきっかけかどうかは分からないが、しばらくの間、母は私たちに客家語を教えてくれたことがあった。「過橋ヌ、過橋ヌ！（橋を渡ってください！）」は私が唯一覚えている客家の言葉だ。

　人間は死ぬと、その魂がこの世とあの世を結ぶ「奈何橋《ナイホーチャオ》」という名の橋を渡る。アンタたちが「橋を渡ってください！」と言ってあげないと、おじいちゃんもおばあちゃんもその橋を渡ることができなくて、あの世に行けなくなるんだよ、と母に言われた私と妹は、体を洗いながら真剣に「橋を渡って！」を繰り返した。「過橋ヌ」は別に悪い言葉ではない。だがその当時、疎遠にしていたとはいえ、祖父も祖母もまだまだ元気だった。

　母がこっそり私たちに教えてくれた短い言葉には、母のいろんな怨念が入り混じっていた。行水のたびに浴室で私と妹が復唱させられていた言葉の中に込められた母の行き場のない恨みつらみは、オレンジ色の洗面器から立ち上る湯気とともに宙に舞い上がり、消えていったのかもしれない。

お仕置き道具

台湾語の「掃梳苓仔《サウセギンマー》」はどの漢字を用いて表記するのが正しいのか分からない。「掃梳苓仔」は何本ものごく細い竹を束ねた子供を打つための竹鞭のことで、家の中だけでなく、学校の先生が使うこともあった。

　死者の魂を導くときには、永眠できるように死者を山の上の墓地に連れて行かねばならないのだが、ほかに何もない山の上であっても樹木や竹はたくさん生えているので、母は時々仕事のついでにまとまった量の枝を拾ってきた。家に置いてある枝を私が時々こっそり捨てていたからだ。私が捨て、母が拾ってくることで、我が家の竹枝の備蓄は均衡を保っていた。

　だが母が私たちを打つときに使うのは「掃梳苓仔」だけではなかった。ワイヤーハンガーや、浴室にある黄色いホースなど、家の中の、激怒した母の近くにあるものは手あたり次第何でも、私たちを打つための道具になった。母が私や妹を素手で殴ることはほとんどなかった。道具を使えば直接痛みに触れなくてよいと思ったのだろうか。

人を打つという行為は、怒りの感情をいとも素早く発散させるが、怒りが静まった後で、今度は心を傷つけるものでもある。母は私や妹を打った後にはいつも泣いていた。それは滅多に見ることのない、母の感情的な反応だった。どんな状況であっても、母が人前で涙を流すことはなかったからだ。

その涙のせいで、私たちのことを打った母を、私は完全に悪者にできないのかもしれない。曲がってしまったハンガーや、折れた枝を拾っては黙々とごみ箱に捨て、私たち姉妹の体にできた傷に薬を塗るとき、母の眼には涙が浮かんでいた。それが罪のない娘たちのための涙だったのか、無力な自分のための涙だったのか……。いずれにせよ、私は母と一緒になって、悲しい気持ちになってしまうのだった。

電話

携帯電話が普及する前、母に用事のある人は我が家に電話をかけてきた。私が取っていたのは、ほとんどが葬儀社からの牽亡歌陣の予約の電話だった。父宛てにかかってくる電話を受けた記憶はない。

　葬儀社以外で、時々母に電話をかけてくるのは母の友達だった。彼女たちは電話を切ってしばらくすると、我が家にやって来た。彼女たちの顔や体には、多かれ少なかれ青や紫の痣《あざ》があった。スーツケースを引きずって来る人もいれば、涙でぐしゃぐしゃの顔でやって来る人もいた。

　こうして我が家は時々、家庭内暴力を受けた女性たちのシェルターになっていた。子供の頃、女の人は結婚すると殴られるものだと思っていた私は、自分が女性に生まれたことを心の底から恨めしく思っていた。二十歳になるまでずっと、スカートをはくことに強い抵抗があったし、耳にピアスの穴を開けると、来世でも女の子に生まれるという迷信を信じて、ピアスホールも開けなかった。母がこの世を去ったら、すぐに出家して尼僧になるつもりだった私は、十八歳の時にひとり仏教に改宗し、しばらく菜食主義を通したこともあった。

　後になって、寺の内情に詳しい年配者から、「出家して尼僧になりたかったら、ある程度まとまったお金を準備しておかないと、入信したあとで嫌がらせを受けることがあるよ」と言われ、私は人生で初めての目標を、お金がないためにあきらめざるを得なかった。

　数年がたち技術の発達とともに携帯電話が誕生したが、当時の携帯電話は黒電話の受話器よりも大きな「黒金剛」と呼ばれるものだった。牽亡歌陣の仕事の依頼を一つも逃がさないようにと母がその「黒金剛」を契約したので、それ以降、母宛ての電話が家にかかってくることは滅多になかった。

その後も住所を転々とするたびに、家に室内電話を設置するのが我が家の習慣になっていた。住所が変わるたびに電話番号も変わったので、私はいつも自宅の番号を正確に覚えられず、電話番号を聞かれるたびに、携帯電話の通話履歴から自宅の番号を確認しなければならなかった。けれど、中和の家の電話番号だけは、今でも覚えている。２４８３０４８、２４８３０４８。当時の電話番号は七桁で、今より一つ少なかった。

「もしもし、阿女さんですか？」

「もしもし、阿女の娘です。母は出かけていますが、どういったご用件ですか？」

今でも時々その電話のベルの音が鳴り、受話器を取ると、過去からの声が聞こえてくるのだった。

達《ダー》新《シン》印のカバー付きハンガーラック

母と私たちのベッドの傍らには、達新《ダーシン》印のカバー付きハンガーラックがあった。焼付塗装された白いスチール製のフレームを自分で組み合わせ、上からさまざまな色や模様のビニール製のケースをすっぽりかぶせて作る、簡易クローゼットだ。家にあったこのカバー付きハンガーラックは、子供の頃、家具の中で一番のお気に入りだった。

　牽亡歌陣の仕事で稼いだ金や、急に現金が必要になったときに現金化するための純金、それに戸口名簿などの貴重品や母の身分証などを、母がこのハンガーラックの中に隠していたことを私は知っている。時々、母がそれらの貴重品を一つ一つ取り出しては、違う場所に移すところを、私は母の傍らに突っ立って、見ていた。スチールフレームとファイバーボードの棚板の隙間から冬用コートのポケットの中へ、くるくると丸めた靴下の中からラックの一番上に敷かれたボードとビニール製のカバーの隙間へ。母はまるで手品師のように、何もないところから物を取り出しては、それをどこかに消し去るのだった。

　母が留守のときはいつも、私はハンガーラックの中に入り込むと中から手を伸ばし、カバーの中央にあるファスナーを引っ張り上げて、外の世界をシャットアウトした。背が届かなかったので、ファスナーを一番上まで引き上げられずに上の方には大きな隙間が空き、そこから外の光や空気がハンガーラックの中に入り込んできた。母親の衣服に囲まれるように頭からすっぽり身を隠すことができれば、誰だって安心するだろう。そうすることで、母がこまごまとしまい込む大切な宝物の一つに、自分もなれるような気がしていた。

母が私たちを連れて家を逃げ出したあの日も、私たちはあのカバー付きハンガーラックの前に立っていた。

私は母がハンガーラックのあらゆる場所から、小銭や紙幣、金の指輪、そしてラミネートパウチが劣化し黄ばんではいるが、そこに貼られている顔写真は若いままの、薄ピンク色の母の身分証などをあっという間に探し出すのをじっと見ていた。母は取り出したものをすべて、いそいそと着ていた服のポケットにしまい込むと、ケースのファスナーを閉めもせずに、私と妹を連れて足早に家を離れた。

部屋を去る時、私は最愛の秘密基地を一瞥した。白地にブルーとグリーンの柄がプリントされたカバーで覆われた達新《ダーシン》印のハンガーラックは、カバーに縫い付けられたファスナーテープの重みで、開口部がだらりと垂れ下がっていた。開きっ放しのハンガーラックの中には、すでに大切なものは何も残っておらず、ハンガーラックは孤独で悲しげに見えた。

中和の家を出たのは私が小学校三年生の時だったが、あの家に置き去りにしてきたもののことは、ずっと記憶の中に残っている。

それらは、かつて私が離れたものでありながら、私の心から離れることのない「家」だった。

1 子供の安全のために、小学校低学年の登下校は保護者が送り迎えするのが台湾では一般的だ。

2 台湾で最もポピュラーな電気釜。

第六章

私と私自身のこと・阿《ア》偵《チェン》

私は暗闇を見つめていた。

ある時は、深い霧が立ち込めたかのような、何もない空間が幾重にも連なり際限なく広がっていき、私をすっぽりと包み込む。ある時は、厚く重くギュッと詰まって流れる砂の渦となり、私を飲み込んで、下へ下へとどこまでも落ちていく。

私はその暗闇の中で、何かを捉えていた。

その何かは光を放っていることもあれば、光らないがその形を見いだせることもある。それは万華鏡を覗くと現れる模様のように、とどまることなく姿を変えながら絶え間なく現れる。眠りに落ちる寸前まで、その何かは途絶えることなく出現し続け、私が眠りにつくと、ようやく消え去るのだった。

生まれて最初の記憶は何か？　と質問されたなら、私はそれを答えるだろう。目を閉じると瞼に浮かぶその何かを、子供の頃から毎晩のように見ていた。ずっと後になって気が付いたのだが、それは古い映画が始まる前の、何の映像も写っていない部分のフィルムを投影したときに、スクリーンに映し出されるものにとてもよく似ている。

あの暗闇と光の点は、予告編に続いて間もなく開始する映画の始まりを告げるもので、次にどんなストーリーが展開するかは、その時点ではまだ分からない。

人生もまた、そのようなものだ。

醜く、育てにくい子供

あの晩、十カ月を過ごしたその腹の中から、私は遅々として出てこようとしなかった。母がどんなに頑張っても、何時間いきんでも、やはり出てこなかった。このままだと胎児が危険な状態になると判断した医師が吸引分娩用の器具を使って、私はようやくこの世に生まれ出た。まるで生まれる前に、すでに生きることの難しさを知っていたかのように、腹の外に出るのを拒んでいた。

出産時に酸欠の状態が長く続いた上に真空吸引で分娩したからか、生まれたばかりの私は全身真っ黒で、頭部は長く伸び、花蓮産のスイカのような形をしていた。母は最初に私を見た時、なんて醜い姿で生まれてきたのだろう、と思ったらしい。

子供が醜い姿で生まれてくるのは大した問題ではなく、それよりも、育てにくいことの方が一大事だということを、私を産んだばかりの母はまだ知らなかった。

体が弱く病気がちで、授乳の間隔も、睡眠リズムも安定しない。激しく夜泣きするのでずっと抱っこしてやらなければならず、片時も離れることができない。なんて手のかかる子なのだろうと、母はハズレくじを引き当ててしまったかのような、己の無力さを感じていた。

しょっちゅう病気にかかっていたことは、自分でも覚えている。子供の頃、ベッドの枕元と冷蔵庫の中には常に解熱剤が用意されていた。冷蔵庫に入っていたのは、白く弾丸のような形をした座薬で、枕元に置かれていたのはＰＴＰ包装され、綺麗に並んだ黄色い錠剤だった。その小さな錠剤にはオレンジ風味の甘い味がつけられていたので、私は時々、熱がなくてもこっそりそれを食べていた。

子供の頃の私は病気になるのが好きだった。病気になれば、母がつきっきりで看病してくれたからだ。全身が熱を帯びると、母は冷蔵庫の上段にしまっておいた赤いゴム製の氷枕を出してきてタオルでくるみ、それをベッドの上に置き、私をそこに寝かせてくれた。熱がなかなか下がらないときは、水で湿らしたタオルを私の額に載せ、そのタオルが熱で温まると水に浸してタオルを冷たくしてから、再び額に載せてくれた。母は私の熱が下がるまでそれをずっと繰り返した。その頃の我が家にはクーラーがなかったので、夏は発熱しているときの方が快適なくらいだった。

病気になる方法や、せめて具合が悪そうに見えるにはどうすればいいかを考えたこともあった。気持ちを集中して「私は熱が出ている、私は熱が出ている」と念じていると、体が熱くなった。

風邪を引いたときに出るような熱ではなかったが、普段よりは確かに体温が上がったので、熱を確かめるために、母の手を私の額に当てさせることには成功した。しかしよく起こることには慣れるもので、私が大きくなるにつれ、母も私の発熱にオロオロすることはなくなった。家に常備している解熱剤を飲ませるか座薬を使いさえすれば熱は下がるということを、母も分かったからだ。

子供の頃の私が病気以外のことで母に心配をかけたことはなかった。小学校に入学した最初の日から三年生の最後の登校日まで、私は毎朝目覚まし時計を使って自分で起きたし、歯を磨き、顔を洗い、髪を梳《と》かし、身支度を整えると、外に朝食を買いに行き、一人で歩いて登校した。過度に神経質だった私は、いつも学校に一番乗りだった。着くのが早すぎて、教室に上がる階段の鉄門には鍵がかかっていので、私は校庭のブランコに座り、先生が鍵を開けてくれるのを待っていた。

放課後、帰宅した私は自分から宿題を終わらせると、連絡帳と鉛筆をそろえて母に渡し、サインをもらった。学校で赤十字の募金活動や、結核防止のチャリティ切手を購入をしなければならないときには、朝食を買うためのお金をそれに回した。野外授業におやつを持って行かなければならないときも、自分で駄菓子屋に行き安いお菓子を買い、余計なことで母の手を煩わせないようにした。

当時の私は、物分かりの良すぎる必要以上に良い子で、つまり子供らしさがなかった。それは生まれ持った性格だけのせいではない。子供らしさの欠如は、私がいかにして世間というものを知ったのかにも関係するだろう。子供として、私はあまりにも早い時期に、生きることのつらさを経験してしまった。あまりにも早い時期に、自分にとって一番身近な人ですら、肉体的、精神的に暴力を振るい、自分を傷つけ得るのだということを、私は知ってしまった。

加えて、「人の死」に接したのが早すぎたのだろう。

十歳頃までには、生きている知り合いより、目にしてきたご遺体の数の方が多くなってしまい、何にでも好奇心を持つ年頃には、死に対して何の疑問も抱かなくなっていた。人は皆、死ぬのだ。何歳であろうと、原因が何であろうと、皆一様に最後には死を迎え、誰一人として例外はない。

子供の時に見た、お笑いコンビの廖峻《リャオ・ジュン》與《と》澎澎《ボンボン》主演の映画『大笑兵団』[1]を思い出す。七人の主人公たちが、それぞれ社会の底辺で仕事をし、いろんな仕事を失い困窮するも、力を合わせて「万能サービス会社」という名の何でも屋を立ち上げ、いろんな仕事を引き受けるというコメディ映画だ。偶然にも、彼らが引き受けた仕事の一つは「西索米《シソミ》」と呼ばれる告別式で音楽を演奏する楽隊からの依頼で、喪家の家族を演じるというものだった。その場しのぎの素人仕事が引き起こす過ちが笑いを誘う、一見ばかげたエピソードは、私が小さな頃から目にしてきた現実からそれほどかけ離れてはいなかった。

喪家の家族や親戚が、法師に倣いお香を持って祈りながら、遺産相続争いを繰り広げる。法師の読経に合わせて家族が罵り合う。祭壇の前に置かれた香炉の中に落ちたお香の灰が作り出すもやもやとした奇妙な形に、これは死者からの啓示に違いないと、遺族がわらわらと集まってああだこうだと言い始める。お腹の大きな見知らぬ若い女性が焼香に訪れると、祭壇の傍らでがっくりと肩を落としていた未亡人が突然なりふりかまわず、「その私生児に敷居を跨《また》がせるんじゃないわよ！」と大声で喚《わめ》き散らす……。葬式の現場で繰り広げられる、思いもよらないようなシーンの数々を、私はずっと目の当たりにしてきた。

その、人を唖然とさせるような出来事は、私の中の死に対する恐怖をやわらげてくれただけでなく、死に対する不可解な敬意すらも私に抱かせた。死ぬことよりも生きることの方が、ずっと恐怖とスリルに満ちているし、死はあらゆる不条理なことに終止符を打つことができるのだ。

私は死について知るのが早すぎた。でも遅すぎるよりはずっといい。人は皆死ぬ、という当たり前のことが分かっていたので、自分に与えられたこの世で過ごす時間はとても短いということを理解するのに、時間を無駄にせずに済んだ。

通学路

二〇一六年に映画が完成し公開されると、上映後のトークで必ず一度は質問されることがある。それは学校に行けなかった日々を、どのように過ごしていたのか？　どうやって勉強したのか？　どうして非行に走ることなく、挫折することなく大人になれたのか？　というものだ。

私の体験は、多くの人にとって励みになる特別なケースだという自覚はあるが、自然にそうなったわけではないし、ものすごく努力をしたから今の自分があるわけでもない。今の私があるのは成長の過程で本当にたくさんの人が手を差し伸べてくれたおかげだ。私の受けた大小さまざまな善意は、一人の若者が自分らしく成長するための、たくさんのチャンスを与えてくれた。いつか私たちの社会が本当の意味で進歩し、すべての子供に十分な善意が与えられるようになれば、私のような、誰かの希望になる経歴はもはや特別なものではなくなり、より良い状態が当たり前になるだろう。

私が生まれて初めて通った学校は、永平国民小学校だった。学校指定の丈の短い紺色のスカートは嫌いだったが、ゴムひものついたオレンジ色の帽子は気に入っていた。制服一式を身につけると、自分がほかの子供たちと同じように見えるのが嬉しかった。

だけど皆と同じなのは見た目だけだった。

教科書の中に登場する「家族」は、私の知っている家族とはまったく違っていた。教科書の中のお母さんは、綺麗な服を着て、庭の掃き掃除や料理をし、優しいほほ笑みを浮かべて家族を思いやる。教科書の中のお父さんは、家の中でもぱりっとした服を着て新聞を読み、通勤カバンを持って会社に出勤し、休日には家族を遊びに連れて行ってくれる。教科書の中の子供たちは、仲良く一緒におやつを食べ、習い事に行き、ピアノが弾ける。

間違っているのは教科書の方だと思っていたが、教室の真ん中に座っている学級委員長や副委員長が、「私の家族は教科書に登場する家族とほとんど同じです」と発言し、それに続いて、同級生たちも次々に手を挙げ、自分の家族もそうだ、と口々に言い始めたので、私はそこで初めて、間違っているのは自分の家族の方だと知った。

先生が子供たちに出す週記の宿題もそうだ。同級生たちの素敵な週末旅行記を聞かされた私は、一文字も書くことができなかった。家族で旅行したことがなかったのだ。連れて行ってもらったことのある旅行と言えば、母の牽亡歌陣の仕事で行った、死者の魂を率いてこの世とあの世をめぐる半日ツアーぐらいだった。

学校は社会の縮図のようなもので、素直だが決して無邪気とは限らない子供たちは、そのごく小さな社会の中に競争や比較、分類、排除、線引きなどの大きな社会の仕組みを再現し、学習する。当然ながら、私にはクラスに友達と呼べる子がいなかったし、一緒に遊ぼうと私に声をかけてくれる子もおらず、私もまた自分から友達の輪に加わることができなかった。同級生の中で交流があったのは、虫眼鏡がなければ教科書の文字を読むことができない、教室の最前列に座らされていた男の子だけだった。

その子は近所のタイル屋の息子で、彼は学校が終わると、店舗を兼ねた家で虫眼鏡を片手に宿題をしていた。生まれつき重度の弱視だった彼にとって、勉強は他の生徒よりもハードルが高かったので、宿題をするときは彼のそばに付いて、練習問題を読み取れるように手伝ってあげてくださいと、先生はクラスの子供たちに言っていた。

それで私は時々、学校の帰りに三方の壁にぎっしりとタイルの見本が貼られた小さな店に立ち寄り、彼と一緒に宿題を終わらせてから自分の家に帰った。しょっちゅう学校を休む私に対して、彼はその理由を尋ねてくることはなかった。彼は私が休んでいることに気付いてなかったのだろう。あるいは、同級生の顔の見分けがついていなかったのかもしれない。

私とその男の子の付き合いはたったの三年間だった。三年後のある日、私は小学校を離れてしまったので、私には先生も同級生もいなくなってしまった。

だけど幸いなことに、私の手元には一冊の国語辞典があった。

小学校に通っていた三年間も、毎日学校に通うことはできなかったが、少なくともたくさんの言葉を習得したし、掛け算九九も覚えた。それに、辞書の使い方を先生が教えてくださったことが何よりだった。学校で学べなかった言葉も、辞書を引けば知ることができた。

人は失ったものを特別大切に感じるもので、学校に行けなくなってからより一層、勉強したい気持ちが強くなった。私は文字を覚えるのに夢中だった。ありとあらゆる文字を知れば、この世界のことが理解できるようになる気がして、私は身の回りにあるさまざまな文字を読まずにはおれなかった。

道端の看板、郵便受けに突っ込まれたチラシ、食べているキャンディーやクッキーの包装など、文字があれば私はそれを読み、読み方が分からなければ辞書を引いた。その後、母の親友の阿満《アマン》おばさんが、子供たちが使わなくなった小学校の教科書や参考書を私と妹に送ってきてくれたので、私は家で小学校の学習範囲を勉強することができた。

日常生活を送るだけなら、小学校で教わる基本的な文字と算数で、十分やっていけるのではないかと、私は時々思っている。

学び舎《や》

私にとって二番目に学校と呼べる場所は、牽亡歌陣のお姉さんが連れて行ってくれた、漫画の貸本屋だろうか。店に名前はなく、「合鍵・印鑑」の看板が掛けられた店の小さな入り口から中に入っていくと、貸本屋によくある、間口は狭いが奥に長く続く店の空間には、誰かに借りられるのを待つ本がきっしり詰まっていた。

この古びた小さな店は、私にとって魅力いっぱいの世界だった。私はホラー漫画や香港の作家・倪匡《ニー・クアン》のSF全集、それに三毛猫ホームズの推理小説が大のお気に入りだった。奇妙で非日常的なストーリーは、現実のすべてをしばらく忘れさせてくれたし、怪奇的で斬新な物語に比べると、私の生きる現実の方がはるかに正常なように思えたのだ。私は単に、学校に通えず、魂を導く使者の扮装をして金を稼ぎ、女性が好きな母親と、自分の娘に性的虐待をする父親を両親に持つ子供、というだけだった。

貸本屋に通っていた頃の私は、自分は一体何者なのか、そしてどうしてこの世に生まれてきたのかを、ずっと考えていた。一日中、ありとあらゆる超現実的なストーリーを、頭の中に思いつくだけ創り出してみたが、どんなに想像しても、最終的には現実の世界に戻らなければならなかった。大人になってようやく、それがいわゆる哲学的な思考法だったということを知った。中学生として過ごすはずだった日々に寄り添ってくれた貸本屋。店に置かれていた、自分の好きな分野の本をすべてひと通り読み終えたところで、私はそこを卒業した。

私にとっての三番目の学校は、母と上階に住んでいた大家さんが分配して引いてくれた有線テレビだろう。ちょうど高校に通うくらいの年の頃のことだ。中古のテレビに二十四時間映し出されるさまざまな番組のおかげで、小さなリモコン一つあれば丸一日中ブラウン管の前に座っていられた。龍祥電影台や衛視電影台、Cinemax、ＨＢＯが、当時の私がよく見ていたチャンネルで、陣頭の仕事のない時間には、一本、また一本と映画を見続けた。

いくつかの香港映画や外国語映画は、私にそれまでとは違う人生を送る可能性を考えるきっかけをくれたし、外国語に対する興味も湧き、書店で英語や日本語の学習書を買って勉強した時期もあった。学習意欲を刺激する一番の条件は、もしかしたら何もない、空っぽで退屈な時間や空間なのかもしれない。そんな状況に置かれると、興味を持てるものを探し求め、自然と体を動かしたり、勉強をしたりするようになるのだろう。

あれだけたくさんの映画を見たにもかかわらず、当時の私は、いつか自分が家族を映画に撮ることになるとは、思いもしなかった。あのドキュメンタリー映画監督が私の前に現れるまでは。あれは私がちょうど二十歳の夏の日のことだった。その監督の登場は、まるでピンポンピンポンと警告音を鳴らしながら、私の前に「こちらへどうぞ」のサインを掲げているようだった。そのサインに沿って行きついた先が、私にとっての四番目の学校だった。

一九九八年から、台湾各地にコミュニティ・カレッジ（社区大学）がオープンし始めた。コミュニティ・カレッジではさまざまなクラスが開講され、その中には私が学びたいと思っていたドキュメンタリー映画製作のクラスもあった。当時住んでいた家から一番近くにあった蘆荻《ルーディ》社区大学で、私はカメラの操作方法や映画の編集を学ぶつもりでいたのだが、実際にクラスに参加して学んだことはそれ以上のものだった。

それは自分と他人、自分と社会の間の関係をじっくり観察する一種の思考方法だった。とある年配者から「重度の業障《ごっしょう》（前世の悪行が原因の障害）」と言われたことのある私の性格に、その観察法はとても合っていたのだろう。人生で直面するすべての迷いについて答えを出そうとする私の性格は、私に名前を付けてくれた占い師が「偵」の字を選んだゆえんなのかもしれない。

さらに蘆荻社区大学で働く職員たちは皆、社会運動家でもあった。彼らと知り合ったことがきっかけになり、私は後に台湾国際労工協会や中国時報工会などの労働者団体で仕事をすることになる。先輩たちが私を労働組合の仕事に連れて行ってくれたことで、私はさらに多くのことを学んだのだが、それはまた別の、長い長い物語となる。

多くの人が経験するいわゆるキャンパスライフを送ることができない運命だったが、それは実際にはたいしたことではなかった。学ぶということは、何も学校の中に限ったことではないのだから。

そして母になる

あと一歳で高齢出産に仲間入りするところだった二〇一二年、私は帝王切開で女児を出産した。多くの人は母親になると、意識的あるいは無意識に、それまでの生活のすべてが新たな局面を迎える。起きて活動する時間と身体を休める時間は、赤ちゃんの生活リズムに合わせることになり、時間の単位は長くても二時間刻みになる。おっぱいを飲ませ、余った分を搾乳し、赤ちゃんの背中を軽くたたいてゲップをさせ、哺乳瓶を洗い、オムツを交換し、お尻を綺麗に拭いてやり、口からあふれ出た母乳で汚れたシーツを取り換え、洗濯をし、歌を歌ってやり、話しかけ、感覚が発達するよう小さな手足をマッサージで刺激してやり、トントンしながら寝かしつける。この一連の行為を二時間後に繰り返す。食べるものも飲むものも母乳の質を考え、鶏スープや豚足のピーナッツ煮、黒麦ジュースを数十日間食べ続けることになるのだが、どんなに食欲がなくても、それらを胃に押し込む方法を見つけなければならなかった。世間のニュースは育児情報ほど重要ではなく、芸術や創作、それに休暇や娯楽よりも、我が子が日々ちゃんとミルクを飲んでくれて、きちんとウンチを出してくれることの方が嬉しかったし、気持ちが満たされた。

子供が生まれて最初の数カ月間は、日々の生活における雑事が増えたが、私の脳内にいくつものフィルターが搭載されたかのように、色恋沙汰やゴシップなどの、それほど重要ではないものは頭の中から淘汰され、心に留めておくことのできる関心事は一つだけになった。それは自分と目の前にいる小さな人との関係だった。

オムツ姿の娘を毎日見続けていると、彼女の将来についていろんなことを考えずにはおれなかった。それと同時に、自分がどんな母親になるのかを想像してしまうのだ。

私は自分と娘のことを考えるたびに、私と母のことにも思いを巡らせていた。

子供の頃、私はずっと母のことが怖かった。突然癇癪《かんしゃく》を起こすのも、理由がはっきりしないまま私と妹を打つのも怖かった。でも私が本当に恐れていたのは、いつか母が私と妹を置き去りにして、一人で家を出て行き、永遠に帰ってこなくなるのではないかということだった。私はこの家庭のせいで母が不幸なのだということに気付いていたからだ。

私だって不幸だった。

第一子の宿命だろうか、私は幼い頃から人の顔色をうかがうことに長《た》けていた。母を観察して母が喜ぶことを探り、それに迎合するように努力したし、母の嫌がることが分かれば、それを遠ざけるようにした。それは妹という母の愛情をめぐるライバルがいるから発達したわけではない。もっと愛されたいという私の本能がそうさせたのだった。何よりも、私が身を置いていた家は修羅場そのものだったので、神経を研ぎ澄ますことでしか自分の身を災難から守ることができなかった。

私は家の中からさまざまな不幸せを見聞きしながら成長した。恐怖に満ちた短い幼児期と、自閉的で自己肯定感の低い子供時代を過ごしたのち、偶然にも大量の知識や情報に触れることができたおかげで、自分自身を改めて見つめ直すことを大人になって覚えた。母から植え付けられた恐怖については、きちんと消化することができず、記憶のどこか隅っこの方へ押しやったままだった。

もしも、子供を産むという心も体も揺るがすような一大事を経験しなければ、その記憶は見えないところでずっとくすぶり続けていただろうし、それを掘り起こして触れる勇気を持つこともなかっただろう。娘の存在は、私の心の隅に山積みになっていたあらゆるものを揺り動かし、それを崩落させてしまった。

私と娘が初めて互いに顔を合わせたあの日、娘は私に、本来ならもっと早くに自問しなければならなかった問題を投げかけてきた。それは「私は何者か?」という問いだった。

あの日、看護師が娘をそっと私の胸に抱かせ、母乳を与えるように促してくれたあの瞬間を、私は永遠に忘れることはないだろう。目をつぶったまま母乳を吸っていた娘が、突然目を開いて私を見たあの瞬間に私が感じたのは、母親になった喜びや感動ではなく、得も言われぬ不安だった。娘の目が「おまえは一体何者だ?　どうして私に乳を与えてくれるのか?」と問いかけている気がした。

答えを見つけ出せないその問いは私の頭の中に響き渡り、消えてなくなることはなかった。

自分がどんな母親になりたいかを考えようとすると、それより先に自分がどんな人間かを考えなければならない。自分がどんな人間なのかを自問するのなら、少しずつ堆積していった自分の過去を振り返らないわけにはいかない。

何もかもをすっかり見透かしているかのような、娘の澄んだ目を毎日のように見続けるうちに、その崩れ落ちたものを元の場所に戻すのは不可能だという確信が強くなっていった。元に戻すことは不可能だし、そこに戻してはいけないのだ、と。

過去はなかったことにはできない。きちんと片付けなければならない。だけど、どこから手を付ければいいのだろう?

その時頭に浮かんだのは、二十歳の時に撮影を始めたものの、完成させる能力も勇気も持てなかった、あの映画のことだった。

私の家族を映画に撮る

自分の家族を映画に撮ることを思いついたのは、一九九八年のことだった。その頃の私と妹は、自宅から一キロほど離れた陣頭センターから仕事を斡旋してもらっていた。私たちの仕事は牽亡歌陣の前場舞踊者だった。

牽亡歌陣は、死者の魂を召喚し、苦しみから解放して極楽浄土に導く儀式を行う、台湾土着の葬式陣頭だ。儀式のほかに残された者たちを慰め、教えを説くパフォーマンスも行う。牽亡歌陣が隆盛を極めた一九八〇年代には、田舎でも都市でも告別式用の仮設テントが立っているところであれば、どこででも見られたものだった。

六歳から母と一緒に陣頭に出演して生活費を稼いでいた私は、二十歳にしてすでにベテランの牽亡歌陣パフォーマーだった。その頃の私の生活は「自宅にいなければカフェに、カフェにいなければカフェに向かっている途中です」という有名なキャッチフレーズの、「カフェ」を「牽亡歌陣」に変えれば説明に事足りるほど、ごく単調なものだった。

一九九八年の夏の日のこと、いつものように陣頭センターの主人から仕事の依頼を受けた私と妹は、言われた時間に現場へ向かった。他の出演者たちと一緒に化粧道具を広げ、準備を始めようとしていたちょうどその時、撮影カメラを持った見知らぬ男性が、私たちのところにやって来た。この男性はテレビ局の記者で、私たちを取材しに来たのだという。牽亡歌陣の団長は、私たちに撮影していいかどうかを確かめるわけでもなく、ただ私たちに取材のカメラが入るという事実だけを告げた。

その「記者」はすぐに、私たちが出演の準備をする様子をカメラで撮影し始めた。彼はカメラを回しながら、私たちにいろいろな質問をしてきたが、私は彼が手にしているカメラに興味津々だった。どうやって撮影をするのか、一台いくらするのか、どうすれば撮影した映像をテレビで放映できるのか、知りたいことは山ほどあった。カメラを構えたまま、彼は私の疑問に一つ一つ親切に答えてくれた。撮影後、彼は「自分の撮った作品が上映されるので見に来るといいよ」と言いながら、私に一枚のチラシをくれた。それはドキュメンタリー映画の特集上映会の案内だった。

誰の人生にでも、運命を大きく変える出会いというものがあるだろう。その「記者」との出会いが、私の人生を大きく変えることになった。

「記者」からもらったチラシを手に、私はバスを二本乗り継ぎ、上映会場の誠品書店敦南店へ向かった。それは当時の私にとっては、かなり大胆な行動だった。それまで一人で出かけたことのある場所といえば、徒歩か自転車で行ける範囲だけだったからだ。私は生まれて初めて、きらびやかな複合商業施設の中へ足を踏み入れた。そこは地方のデパートとも異なる別世界だった。ふと私なんかがこんな場所にいていいのだろうかと、不安になった。だが会場のある地下二階へ向かうと、幸いなことに入り口は人であふれかえっていた。これだけ大勢の人がいれば、私のことなど誰も気にしないだろう。そう自分に言い聞かせながら平静を装い、入場を待つ列に加わった。

お客さんでいっぱいの暗くて狭い上映ホールの席に座り、私は人生で初めてドキュメンタリー映画というものを見た。最初に上映されたのは『畢業紀念冊（卒業アルバム）』[2]という作品だった。そして続けて『美麗少年』[3]が上映された。私はこの時初めて、物語ではなく、実際の人生そのものを映像に収めた映画がこの世にあることを知った。そこにはサクセス・ストーリーも凱旋帰国もないし、登場するのは社会的なステータスのある人物でもなければ、美男美女でもない。平々凡々な人生ならまだしも、挫折しボロボロの人生ですらもドキュメンタリー映画ではテーマとなり、貴重な物語になれるのだ。

　そして私がこの時まで「記者」だと思い込んでいた人物は、実は記者ではなく、映画監督だということも判明した。彼の名前は楊力州《ヤン・リージョウ》。楊監督と彼の撮ったドキュメンタリー作品との出会いは、私に「自分自身のために声を上げる」ことの可能性を教えてくれた。

　それから数カ月間、私は節約してお金を貯め、撮影用のカメラを買った。SONY-TRV900の購入は、家族の物語を映画に撮るという私なりの決意表明でもあった。私はこれから、私の家族のドキュメンタリー映画を作るのだ。

　当時の私は、ドキュメンタリー映画を一つ完成させるのに何年も費やすことになるとは、想像すらしていなかった。

「これは私の母の物語です。古いしきたりの残る農村に生まれた母は、いわゆる伝統的な考え方から外れた女性でした。牽亡歌陣を率いる紅頭法師でレズビアン、たばこを吹かしながら麻雀に没頭し、セクシーな女性の写真が印刷されたビンロウの箱をせっせと集める、それが私の母です。

母が女の人を好きだということに気がついたのは七歳の頃でした。そして今、七歳になった姪が私に尋ねました。

『おばあちゃんは男なの？　女なの？』

言葉では簡単に説明できないと思った私は、映像で彼女にその答えを示すことにしました」。

二〇一二年六月、私は十年前に撮り始めた家族の物語を完成させることを決め、撮影企画の準備を始めた。これはその時に書いたシノプシスの初稿だ。

人生を字数制限のあるあらすじに凝縮するのは、とても難しい作業だった。何行か短い文章を書いては修正し、修正しては削除し、削除しては再度、一語一句を考えながら書き直した。実は、私が母に対して抱いていた疑問は、シノプシスに書いたことだけではなかった。私が本当に母に問いたかったのは、愛情についてだった。しかし、たとえシノプシスに書くだけであっても、それをはっきりと言語化することはためらわれた。

母は私を愛してくれているのだろうか？　私が生まれた時、母もまた、私が娘を抱いた時のように、優しくそっと、小さかった私を胸に抱き、私の呼吸に耳を傾け、話しかけてくれたのだろうか？　私はかつて、彼女の目に映るすべてのもののなかで最も大切な、命を懸けて守ろうと思える存在だったのだろうか？　私を見る時、母の心は喜びと満足を感じていたのだろうか？

どうして私はそんな疑問を持ってしまうのだろう？　世の中の母親は皆、我が子を深く愛するものではないのか？

原因はおそらく、私の母が世の中の一般的なお母さんとは違っていたからだ。

一番よく知っている、赤の他人

確か八歳か九歳の頃だったと思う。私は家の中で若い頃の母の写真を見つけてしまった。写真館で撮られたその写真の中の母は、髪を長く伸ばし、体にぴったりした長袖の上着にラッパズボンをはき、木製のはしごのような家具に寄り掛かるように立っていた。おしゃれをして、青春を謳歌する年頃の娘のような母の姿を、私はそれまで見たことがなかった。髪を短く刈り込み、シャツに長ズボン姿の、いつも私が見ている母とはまったく違っていた。

不意に見てはいけないものを見てしまったような気持ちになり、私は慌ててその写真を元の場所に戻そうとしたが、気持ちを抑えきれずに何度も何度もその写真をつぶさに見直してしまった。写真の中の母の姿に好奇心を掻き立てられたのだ。そしてその瞬間、私は写真をどこかに隠してしまいたい衝動に駆られたのだが、私が隠し持っていることがばれたら、母はものすごく怒るだろうと怖くなった。それに写真を私が隠し持ったところでどうすることもできないので、写真がしまわれていた引き出しの中に、そっと戻したのだった。

その写真がそれからどうなったのかは分からない。もしかしたら母が誰かに送ったのかもしれない（当時、自分の写真の裏面に「忘れないでね」とメッセージを書き、ごく親しい間柄の人に渡すのが流行《はや》っていたようだ）し、その後間もなく、母は取るものもとりあえず私たちを連れて家を逃げ出したので、その時に写真は持ち出さずに、中和のあの家のどこかに置いてきてしまったのかもしれない。その写真を目にすることは二度となかったが、写真に写っていたあの若い女性の姿はいろんな憶測とともに、ずっと私の心に引っかかっている。

母とは三十年余り一緒に暮らしているというのに、私と妹がまだ小さかった頃から大人になった今もずっと、母は自分のことを話してくれたことがなかったので、母は私にとって一番よく知る、赤の他人のようだ。私が母について知っていることといえば、母を観察して分かったことと、母が友人と話している内容から聞きかじった断片的な情報と、それらを元に推測したことばかりだ。母が話したがらないことを、私もあえて聞くことはなかった。

子供の頃の記憶では、母は家にいるより外出していることの方が多かったし、家の外と中とでまるで別人のようだった。

家の外で友達と一緒にいる母は、あっさりしていて、話好きで、いつも機嫌が良く、声を立てて笑うこともあった。でも家に帰ってくると、母は人が変わったかのように、無口でむっつりと黙りこくり、笑顔を見せることもなかった。家の中のこととなると、幼い二人の子供と顔を合わせているときでさえ、沈黙が母の返事だった。

母が怒っていないときは家の中がとても静かで、その静けさがかえって心をざわつかせた。しかしその静寂を切り裂く音や声は、さらに私たちの恐怖心をあおった。

父は酔っぱらっても、家の中をめちゃくちゃに荒らし、物を壊すようなことはしなかった。大きな物音を立てて、壁一枚隔てただけの隣の住人や、階下に住む大屋さんに気付かれるのが面倒だったからだ。父の怒りは、どれだけ打たれてもじっと静かに耐える母にだけ向けられた。

母が私たちを連れて家を離れる前から、私は母がいつか家を出ていくだろうと確信していた。それはある種の予感であり、潜在的な希望でもあった。

子供の頃、繰り返し見た夢がある。その夢の中に現れるのはコンクリート製の小さな橋で、橋の両岸はどちらも草木が鬱蒼《うっそう》と生い茂っていた。時間はおそらく早朝なのだろう、辺り一面にうっすらと霧が立ち込めていた。

橋の真ん中辺りを向こう岸に向かって歩く女性の後ろ姿が見えた。それはその女性だけのこともあるし、子供を一人連れていることもあった。私はその女性の顔を見たことはないが、なぜかそれが母だと分かった。そして時々女性が連れている子供は、私の妹だった。母と妹が離れていこうとしているのに、私は一緒に連れて行ってもらえない。私は独りぼっちで、取り残されてしまうのだ。

夢の中で橋のこちらにいる私の足は、釘で打たれたかのようにそこから動くことができず、前を行く母を追うことができなかった。私はそこに突っ立って、泣きながら母に「行かないで」と哀願するだけだった。当時の私が本当に恐れていたのは、母が行ってしまうことではなく、母に置き去りにされることだったのだ。私は捨てられることが怖かった。捨てられる、というのはつまり、私は愛されていないということを意味するからだ。

愛されていないと感じる理由

自分は母に愛されていないのではないかと感じた原因は、母がいつも私のことを打ったからだけではない。母が懇ろな関係を望まなかったからではない。母が妹ばかりをかわいがっているような気がしていたからだけではない。それに私の身体に流れている血液の半分が、母の憎む人物のものだからでもない。一番の大きな原因は、私の心の中で絶えず聞こえてくる「おまえが愛されないのは、おまえがけがれているからだ」という声のせいだった。

そう、あの頃の私は性的なことについて何も知らなかった。それでも父が私にしてきたことは、私に何とも表現のしようのない辱めを与え、それはこの文章を書いている今もなお、私の中から完全に拭い去ることができずにいる。そして世間が私の心に深く植え付けたゆがんだ考え方はすべてを取り除くことができずに残留した毒物のように、私の神経をかすかに蝕《むしば》み続けている。

私が経験したあの秘密が、私と私にとって一番大切で一番頼りにしている人との間に壁を作り、二人の気持ちをどんどん遠ざけ、とうとう交わることのない、平行な状態にまでしてしまったということを、私はずっと前に気付いていた。

そして現実の私は、夢の中の私と同じように母のそばにいたいと渇望しながらも、母に半歩も歩み寄る勇気すら持ち合わせていない。

最終的に母は、私たちを連れてあの家を離れた。そしてその後も、私は同じような夢を何度も見たが、ストーリーは違うものだった。新しい夢の中の私は、どこに向かっているのか分からない列車に乗っているのだが、自分の目的地と私の乗った列車の終点が一致していることだけは知っていた。列車が向かう終点は母のいる場所だ。夢の中の列車は、山や川を越え、海岸線を見ながら、人々が暮らす家々の間を走り抜けていく。私は、次から次へと変わりゆく車窓を見続けながら、どんどん終点に近づいていることを心の底で期待していた。だが、列車が終点に到着することはなく、私が夢の中で母に会えることもなく、夢は終わるのだった。私の見た夢が何を反映しているのかは、精神分析医でなくても何となく分かるのではないだろうか。

私はずっと母のことを、そして自分が愛されているかどうかの答えを、探し続けていた。

そしてその答えは、私が永遠にたどり着くことのできない場所に隠されているのだと、私はずっと誤解していた。

台湾語の古い諺に、「手抱孩児才、知父母時（親の立場になって初めて、親の子育ての苦労を知る）」というものがある。一〇文字に満たないながら、これほど端的な言葉はない。

娘を産み母になった後、私の身体は明らかに変わった、と感じた。緩みきったお腹の皮はどうやっても元の平らな状態には戻らないし、天気が変わると膝が痛くなるし、肌や髪、それに爪はつやを失い、目に見えて衰えてしまった。発達したのはただ一つ、母親としての感覚と経験だ。自分の役割が変化し、それまで「娘」の立場から理解していた世界を、突然、もう一つの異なる視点から見ることができるようになったのだ。「母親」の立場から、見て、考える世界は、私がこれまで経験したことのないものだった。台湾語の古い諺が教えてくれていたのは、これまで牽亡歌陣の仕事の中で幾度となく耳にしてきたもののはずなのだが、実際に自分の身に起きて初めて、あの短い言葉の背後に込められたさまざまな感情を、ようやく理解することができた。

すべては日常なのだ。ウンチやオシッコの面倒を見る日常、授乳し、ご飯を食べさせる日常、病気をもらって熱や発疹が出る日常、寝返りを打ち、座って、立って、ハイハイで進むことを学ぶ日常。それは言葉による説明も、何の理屈も必要とせず、自然に血肉と化した。そして母親であることの限界も、母親の精神的メカニズムがもつ複雑さもまた、無意識のうちに分かってきた。中でも一番骨身に染みたのは、子供が病気やけがをしたときに感じる、いかんとも抑えがたい、自責の念だ。

娘が病気にかかり、あるいはけがをするたびに、悲しい気持ちになるのは当然なのだが、なぜか自分を責めてしまうのだ。突発性発疹は誰もが一度はかかるものだと、医者がどんなに説明してくれても、歩き始めたばかりの子供があちこちにぶつかって小さな傷をこさえても、自分がひどい母親で子供を守ってやれなかったから、子供が病気に苦しみ、傷を痛がるのだと思わずにはいられない。

それはものすごく大きな心理的プレッシャーとなり、世の母親の役割を担う多くの女性の上にのしかかっている。

「母親が自責の念に駆られる」プログラムは生き物の本能なのか、それとも社会文化が作り上げた後天的なものなのか。自分の中にもその「母親が自責の念に駆られる」プログラムが組み込まれていることに気付いた時、私は突然、母のことを思った。娘を傷つける父親から守ってくれなかった母を心の奥底で恨み、母に愛されていないかもしれないと懐疑的だった私のことを、長い間独りで受け止めながら母が感じたものは何だったのか？　そしてそれについてこれまでまったく自分が考えもしなかったことに気が付き、愕然とした。

母が背負った恐れは誰にも想像できないし、母の罪悪感をほんの少しでも分かち合える者もいないだろう。母の心が耐えなければならなかった苦痛は、私が実際に味わったものよりも少ないということはないし、私はそれを実際に見たわけではなかった。

母親の立場に立って初めて理解できたことは、母親に対する罪悪感を私に抱かせ、私は再び自責の念に駆られてしまった。

映画の撮影期間に、私は新しい夢を見た。橋の上には、そこにたたずむ母の後ろ姿。そしてたどり着いたことのないその橋の向こう岸は、消えてなくなっていた。母はとてもゆっくりと、まるでストップモーションのように、橋の真ん中で私を待っている。母が待っているのは、私が母に会うために乗っていた、あの終点に着くことのない列車だ。私が失望とともに目を覚ましたあの時に、私は母をずっと夢の中に閉じ込めて、待たせてしまっていたのだ。

そこで私は、夢で見たシーンを一つ一つ記録し、夢の中の母と私のための新たな脚本を書いた。それを実際の人生の中で実現させるのだ。

その場に立ち止まるのはやめにして、私はとうとう前に進むための勇気を奮い起こした。二十年近い時間をかけて、私は私の家族の映画を完成させた。そして遂に、自分が探し求めていた答えが目の前にあることに、そしてそれが私には見えていなかったことに気が付いた。あるいは見ていたのだけれど、それが私の想像とは違う姿だったために、そこにあることが分からなかったのかもしれない。

お母さん、私のことを愛してる?
答えは、肯定文や否定文である必要はなかった。
問いの答えは、とてもとても長い、感嘆文だった。

1……一九九〇年、林清介監督の日本未公開映画。
2……一九九八年、ヤン・リージョウ（楊力州）監督のドキュメンタリー映画。
3……一九九八年、ミッキー・チェン（陳俊志）監督のドキュメンタリー映画。

あとがきにかえて　ディレクターズノート

二〇一二年の娘の出産を機に、私は心の中にずっとしまっていた映画を完成させることにした。企画の準備から撮影を正式に始めた二〇一四年にかけて書き留めた雑感メモを抜粋し、本書で紹介することで、ドキュメンタリーについての記録も本書に記そうと思う。ドキュメンタリーを見る前に読んでも、見た後に読んでも差し支えないように、映画の核心部分には迫らない内容にした。

二〇一三年十一月二十日　フィールドワーク

映画製作のフィールドワークの一環として、台湾同志家庭権益促進会の呉紹文《ウー・シャオウェイ》秘書長の協力を得て、十一月十九日に開催された同性婚の法制化に向けた公聴会に参加させてもらった。

当日、会場には反対派の人たちも大勢参加していた。彼らは子供の権利や利益を守ろうと、法改正に反対している。同性愛者の家庭では、子供が心身ともに健全に育つ環境を与えられないから、というのが彼らの主張だ。

彼らの意見は間違ってないと私は思う。

レズビアンの子供として、私は成長の過程で実際にとてもつらい目に遭ってきた。でも、つらい思いをしたのは、母が同性愛者だからではなく、母が同性愛者であることに対する世間の偏見が原因だ。そして私たちに偏見の目を向けるのは、公聴会の壇上に立ち、興奮しながら眉を顰《しか》めて子供の健全な成長は絶対守られるべきだ、と主張するような人々だ。

子供を守りたいという彼らの気持ちを、私は信じる。いつの日か、肉体的にも精神的にも健全な環境下で子供たちが成長できるようになるために、彼らが同性愛者の家庭についてきちんと理解しようとするのなら、私も喜んでその助けになりたいと思う。

世間は私に、母に対して偏見の目を向け、あるいは忌み嫌うことを、そして私の出自が劣っていることを教えてくれたが、私はそんなことは気にしてはいない。なぜなら、レズビアンである母が私に教えてくれたのは、相手を敵視することではなかったからだ。

二〇一三年十二月一日　パレード

この日のパレードは、もともと撮影するつもりはなかったのだけど、当日になって、やっぱり現場に行ってみることにした。

これまでの職業経験がそうさせるのか、凱達格蘭《ケタガラン》大道に到着して最初に目に留まったのは、街頭の大型ビジョンとスピーカー、エアロアーチ、それに仮設トイレや、主催者に雇われたカメラマンがいい画を撮るために用意された、昇降式の足場などだった。それらの設備一式のレンタルに必要な費用を頭の中でざっくり計算し、羨ましくなった。私が常々参加している集会やパレードは、どこもお金の工面で大変な思いをしているからだ。秋闘[1]も、工運[2]も、妓権[3]も、反核[4]も、環境[5]も、反迫遷[6]も、皆、どこも苦労していた。

この日のパレードの参加人数は、私の予想をはるかに超えていたのだが、それ以上に心に引っかかったのは、楽しそうな会場の雰囲気だった。

景福門から十文字状に広がる人の波は、ベビーカーを押した赤ちゃん連れの小さな家族や、青春を謳歌しているにぎやかな若者たち、中高年のおじさんやおばさんがほとんどを占めていたが、中にはどこかの幼稚園の校外学習なのだろうか、路肩にきちんと並んで腰を下ろし、おやつを食べている子供たちの姿もあった。カラリとした冷たい空気が心地よい、よく晴れた日だった。最高の天気のもとにたくさんの幸せそうな笑顔があふれているのは、実に良い眺めだった。

でもその当たり前であるかのような楽しげな様子を見て、私は悲しくなってしまった。

「同性愛は正常じゃない」。ステージの上に立つ人が、同じような意味の言葉を繰り返す。それは私もずっと聞かされ、信じてきた価値観だった。私は何度もカメラを構え、録画ボタンを押そうとした。このシーンが私の映画の中でどのような葛藤を生み出すのかを合理的に計算しながらも、一方で私はいたたまれない気持ちになり、ビデオカメラの電源を切りカバンにしまうと、群衆から抜け出し、車で家に戻った。

その夜、フェイスブックのタイムラインは似たような投稿で埋め尽くされていた。写真や文章はどれも、パレードの主催者が警備員を雇って、同性愛者や彼らを支持するグループがこのパレードに参加することを過剰なまでに阻止していたことについてコメントするものだった。一部の友人たちは主催者側の行き過ぎた発言や行為に対して怒りをあらわにし、あるいは軽蔑の言葉を書き込んでいた。このパレードに参加したフェイスブックの友達を削除する人もいた。十年前であれば、私も同じような、感情的な反応をしていたかもしれない。でも今の私がしたいのは、対話だ。

このドキュメンタリー映画を撮り始めた頃の思いや、この映画を作る意図もそこにある。望むのはただ、このパレードに嬉々として参加していた人々が、きちんとこちら側に顔を向け、これまでないがしろにし、あるいは忌み嫌ってシャットアウトしてきた私たちのことを真っすぐに見つめ、私たちと対話してほしい、ということだけだ。

本当にそれだけで十分なのである。

二〇一三年十二月六日　もしも…

私の母は言葉で何かを伝えることが苦手だ。娘の私に対してもずっと自分の気持ちを伝えてこなかったので、時間がたつにつれ、私たちは現在の、言葉のないやりとりにすっかり慣れてしまった。もし映画の撮影準備がなければ、私は自分が母のことをほとんど何も知らないという事実に、気付けなかったかもしれない。

そもそも母と父の結婚は、完全に祖父母に強制されたことだと思っていた。だが、母が当時付き合っていた恋人とたまたま喧嘩し、むしゃくしゃした腹いせに母も彼女も結婚に走ってしまったということを、今回初めて母の口から聞かされた。あれから四十年近くたつが、母と当時の彼女は今でも連絡を取り合っているらしい。

意外なエピソードを聞かされた私の頭の中には、こんな疑問がよぎった。もしもその当時、同性婚が認められていたなら、母は父との結婚を選んだのだろうか？　母にはまだ質問していないので、その答えを私は知らない。

でも、もしも時間を巻き戻せるなら、母には愛してもいない男とは結婚せずに、愛する女性と一生を共にする選択をしてほしいと思う。あるいは、本人が心から望むのなら、独身を貫き通して、自由を謳歌してほしいとも思う。そうすれば、母は暴力に満ちた、耐え難い結婚生活を送らずに済んだだろうし、家とも呼べないようなところから、フラフラになりながら二人の娘を連れて逃げ出すなんて苦労をせずに済んだかもしれない。

母と父が結婚しなければ、私はこの世に生まれてこなかっただろうが、たとえそうであっても、私は母にそうしてほしいと心から願っている。

もしも、時間が本当に巻き戻せるのなら。

二〇一三年十二月三十日　最も難しいのは

二〇一三年も終わりに近づいたある夜のこと。台所で夕飯の準備をしていると、携帯電話から続けざまに何度もメッセージの受信を知らせる音が聞こえてきた。気になった私は夕飯を作る手を止め、携帯電話の置いてあるリビングに行った。届いていたメッセージはどれも、友人からのお祝いの言葉だった。文化部（日本の文部科学省に相当）のウェブサイトに短編ドキュメンタリー映画への補助金獲得者のリストが掲載され、私の申請した企画が、百万元の補助金を得られることになったのだ。百万元は、おそらくここ最近の短編ドキュメンタリー製作に下りた補助金の中で最も高額だろう。私は思わず、やったー！　と叫んでしまった。

間もなく二歳になろうとする娘は、リビングに敷いたジョイントマットの上で積み木遊びをしていたのだが、母親のただならぬ様子に、何事かと猛スピードで私の元に駆け寄り、しがみついてきた。私は腰をかがめて彼女を抱きしめると、私たちは床の上に座り込み、ひとしきりゲラゲラと大笑いした。

本当に映画を撮らなくちゃ。台所に戻った私は、野菜を洗って切りながら、そんなことを思った。

本当に映画を撮る準備はできているのだろうか？　私は出来上がったばかりのご飯を食べながら、そんなことを自問していた。

何事においても、「万全を期した」状況などないのかもしれない。あるのは、思い切って「やる」と決めることなのだ。

翌年二月、私が十数年思い描いていた家族の映画が、正式にクランクインした。撮影の前、私は母に、お母さんについての映画を撮りたいんだけど、と、ずっと抱いていた不安な気持ちを伝えた。母は、「そんな映画、誰が見たがるのさ？」と言った。母は自分の人生は大したものではないし、面白くも何ともないと考えていた。

「娘のためだよ。あの子が大人になる前にお母さんがいなくなっちゃうかもしれないでしょ。今、お母さんの話を映画にしておけば、あの子が大きくなってから、おばあちゃんがどんな人だったのか、あの子に見せてやれるじゃない」

母は黙り込むと、返事をしなかった。

自分でも変だと思うのだけど、私は母に対して耳触りのいい、優しい言葉をかけてあげることができない。そのくせ、こんな縁起でもない物の言い方をしてしまうのは、母もまた、ブラックな表現をためらわないからだろう。何年も前から、母は毎月定期的に医師の診療を受け、薬を処方してもらっていた。ご多分に漏れず母くらいの年齢の人に現れる高血圧、高脂血症、糖尿病、ひざの痛み、不眠症に加え、数十年来の持病である慢性的な頭痛もあった。毎月医者からもらう薬の量は頭がクラクラするほど多く、私はたまに「体に気を付けなさいよ」と思わず言ってしまうのだが、母はそれに対して、どうせ最後は死ぬんだから構いやしないよ、と口答えするのだった。

「お母さんの映画ができたら、私たちみたいな経験をしてきた人の助けになるんだよ」。母が言葉を返す前に、私はもうひと言付け加えた。その言葉に母が心を動かされるとは思っていなかったが、私は伝えずにはいられなかった。

母は何かを考えているようだった。でも何を考えていようが、母が端《はな》からＮｏを言わないということは、首を縦に振ってくれる可能性が高いということだ。母をこの数年間「観察」してきて気付いたことだった。

そして母の沈黙はそれほど長引くことはなく、割とすぐに答えを出してくれた――「分かったよ」。そしてベッドで寝るために、自分の部屋へと戻っていった。

今になって思い返してみると、母が踏み出した一歩は、私の一歩よりもはるかに大きかったはずだ。「分かったよ」のひと言を発しなければ、映画に撮られることもないのだから。

それでもその時の私には、母に本当のことを話す勇気がなかった。母の物語は、私にとってとても大事だということ、そしてこの映画を撮る本当の理由について、だ。私は母のことを理解し、母に私のことを分かってほしくて、この映画を撮るのだ。私は心の中で絶えず自分に言い聞かせている。カメラは回し始めたけれど、私にはまだ母に伝えられずにいることがある、ということ。そしてそれを母に伝えることが私にとってどんなに難しくても、少しずつ口に出す練習をしなければならないのだ、ということを。

それはどんなにか大変なことだろう。でも、同じ屋根の下にいながら永遠に母と分かり合えずにいるよりは、難しくはないのかもしれない。

二〇一四年四月二十六日　小さな女の子

「マイクＯＫ？」と私が確認する。

「大丈夫。カメラ回すよ」とカメラマンが答える。

「お母さんは子供の頃から、男の子みたいだったの？」

母と私はダイニングテーブルを挟んで向かい合わせに座ると、カメラマンは私の背後から、私たちにとって人生初の、真剣だがぎこちない対話と問答を撮り始めた。

「そうだね、子供の頃からこんな感じだった」

二回目のインタビュー撮影で、母はようやく自分について口を開いてくれた。田舎で過ごした、何の悩みもない野生児だった頃のことから、北部の都市に出て、工場で働き始めるまでを話してくれた。母の話はおおかた私の想像していたとおり、母と同世代の、中南部の貧困家庭に育った人たちに共通する経験談であり、私も以前に本で読んだことがあった。けれど中には私が予想していなかったエピソードもいくつかあった。

例えば、子供の頃の母はとても人見知りが激しかったこと。知らない人が家を訪ねてくると、極度の緊張と恐怖心から、家の外の木の上に身を隠し、枝葉の間からお客が家を立ち去るのを確認して、それからようやく家の中に戻るほどだった。私は母の話を聞きながら、やんちゃで男の子のような少女が、木の上で不安げに身を隠す様子を想像した。するとその瞬間、想像の中の少女の姿がパズルのピースになって、私の手のひらに落ちてきた。それは母を知るための手がかりだった。私には母を知るためのヒントがもっと必要だ。たとえそれが小さかろうが、ボロボロだろうが構わなかった。私は母にさらに質問をし、母がしゃべり続けるように促した。

私は母に、祖母について聞いてみた。すると、いつも母の周りに張り巡らされている防護壁のようなものが、突然消えてしまったような気がした。母の目には涙が浮かんでいた。

「子供の頃は賢かったからね。おばあちゃんが台所に農薬を隠し持っていることに気付いてしまったんだよ。当時、田舎じゃ多くの人が農薬を飲んで自殺していたから、おばあちゃんも死のうとしているんじゃないかと思って。おばあちゃんが家にいない時を見計らって、農薬を家の外の水路に捨てたことがあった」

母は目頭を押さえ、時々は涙をぬぐいながら話した。祖母はしょっちゅう気性の荒い祖父から罵倒され、その上生活も苦しかったので、祖母が自殺を考えたのも無理はあるまい。

でも私は祖母が自殺を考えた理由よりも、こっそりと農薬を捨てた小さな女の子のことが気になった。その時、その子はどんな気持ちだったのだろう？　子供の頃の私が恐れていたのと同じように、母親に捨てられることにおびえていたのではないだろうか？　私が生まれて初めて出会った母その人もまた、かつては母親の存在を必要とする小さな子供だったということに、その時初めて気が付いた。

祖母はその後肝臓がんを患い、この世を去った。亡くなる直前、祖母のお腹はパンパンに膨れ上がり、手足はがりがりにやせ細っていた。母は祖母に抱き付き、ずっと泣いていたそうだ。その時、母はまだ二十五歳だった。

そして祖母もまた亡くなる直前まで、母のことを一番に気にかけていた。

私は祖母のことをほとんど覚えていない。唯一記憶に残っているのは、祖母のお葬式の日のことだ。私は紺色の、薄くて軽いごわごわとした長衫《ツンサー》と呼ばれる葬式用の上っ張りを着せられていた。台湾の習わしでは、死者との関係によって、葬儀の際に着る長衫の色が決まっていて、紺色は孫の代の色だった。天気のとてもいい日で、母が子供の頃に裸足《はだし》で駆け回っていた、先祖代々受け継いできた庭先には、背が高くて大きな赤色の円卓がいくつも並び、そこにたくさんのお供え物が並べられていた。私は円卓の前で、紺色の長衫を着せられた他の孫たちと一緒に、両膝を地面に着け、頭を下げ、立ち上がってお辞儀をするという動作を何度も繰り返しご先祖様にお参りした。私や同い年くらいの子供たちは、まだ一人でそのお参りの動作をすることができなかったので、それぞれに大人が付き添い、子供の横や背後から半ば強制的に私たちを跪《ひざまず》かせたり、立ち上がらせたりしていた。その時の母はおそらく、祭壇の前であたふたしていた子供たちよりも、もっとずっと、落ち着きを失っていただろう。けれどそんな母のそばに付いて、母に手を差し伸べる人はだれもいなかった。

母親であっても、時には無力になることもあるということを、私はどうしてこれまで思い至らなかったのだろう?

母は万能で無敵なスーパーウーマンではないし、そんな人はたぶん、この世に存在しないのだ。

二〇一四年五月一日　撮影が正式に始まり

「どんな映画にもライフサイクルがある。どのタイミングで着想を得て、撮影し、完成したものを見てもらうかは、作品ごとにふさわしいスケジュールがあるから、ひたすら機が熟すのを待つしかない」

製作が滞っていた二〇一三年の初秋、とある韓国人の映画プロデューサーにそう言われたことがあった。

二〇一三年の年末から、私は撮影隊との肩慣らしを始めた。立法院（日本の国会に相当）は婚姻平等の権利法案について最初の審議を行い、前進を見せた。私も子供を産み母親になり、物の考え方が変わるという経験をしたので、その時のプロデューサーの言葉の意味が、今ならとてもよく分かる。

最初に映画を撮ろうと思い始めたのは一九九八年のことで、当時は次から次へとシーンを撮影するだけで、どのようなストーリーにするかについては真剣に考えていなかった。製作が途中で何度も滞ったことを残念に思っていたが、その後何年もたってから、撮影を正式に始められたことは、とてもラッキーだったのではないかと思っている。

もし一九九八年に、二十歳の私が映画を完成させてしまっていたら、映画は恨み節に満ちた内容になっただろう。自分自身や自分を取り巻く社会環境にとって、それが良いか悪いかすらも分からない。その当時から私も年齢を重ね、自分とより深く向き合えるようになったし、恨みつらみを完全に消し去ってしまうことはできなかったけれど、ある程度は母たちの視点に立ち、物事を見て、理解できるようになった。

十数年がたち、二〇一四年の今現在は、言わずもがなこの映画を完成させるのに最もいいタイミングなのかもしれない。現在三十七歳の私は、二十歳の時の私よりも、映画を完成させるのに適しているし、映画製作の腕も上がったのは確かだ。映画に限らず、人生についてもそうだろう。これこそが時間の力だと、私は思う。時間はなんら問題解決の助けにはならないが、時間がたつとともに、私たちは問題を解決するための力を得ることができるのだ。

時間と、さらにたくさんの人たちの助けは、この映画にさまざまなチャンスをもたらしてくれた。これから私がすべきことは、この映画をきちんと完成させることだけだ。

二〇一四年五月十一日　世の母親は皆違う

例年と同じように今年の母親節（母の日）も、母は私たちにわざわざ祝ってくれなくていいよ、と言った。友達と一緒にどこかの廟の門前町でご飯を食べて、自分たちだけでお祝いする約束をしているそうだ。母親節を母がどう過ごそうと構わないのだが、ただ、母にはハッピーな気持ちでいてほしいと思う。

すべての女性にとって、今日という日と、明日からの毎日が、幸せであってほしいと願う。子を産み、母親になり子育てしたいと望む女性には、その願いがかなってほしいと思うし、子供を産みたくない女性は、家族や友人、そして社会からのプレッシャーを受けずに済むように願っている。世の中の女性は皆違うのだから、一人一人の自由と権利が実現できるように祈ろう。

母親節おめでとう！

二〇一四年五月　カメラの前と後ろで

五月。短編映画製作の第一期の補助金が残り少なくなってきたので、カメラマンにはしばらくお休みしてもらい、代わりに自分で撮影することにした。

私と母は一緒に暮らしているが、相変わらず日々の暮らしの中で交わることはない。二人の間には明らかな距離が保たれている。だがカメラを構えて母を撮影しようとするとき、母に近づこうとしている自分に気が付いた。我ながら興味深い。バストアップショット、クローズアップ、さらに寄って、目尻のしわや、乾燥した手の甲、白髪の染め残し。私はそれらをファインダーいっぱいに映し出す。構図などどうでもよく、近寄れるだけ寄る。それはまるで、現実の生活で母に近づけずにいる自分の心の穴を満たそうとしているかのようだ。

人はカメラの前では自分の心を隠すことができないが、カメラの後ろの人もまた、自分の心を隠すことができないものなのだ。

二〇一四年六月二十二~二十三日　母の実家

六月。二日間の撮影と、二日間のミーティング。

撮影のおかげで、母は十年以上ぶりに北港にある実家に里帰りすることができた。

母の実家は、私にとっては楽しみでも、母にとっては帰りたくない場所だった。母にどうしてそんなに帰省したくないのか聞いても、交通が不便だし、退屈でつまらない場所だから、という二つの理由しか答えてくれない。

まるで望郷の念に駆られることがないのか、母はこれといった用事でもなければ帰省したがらないのだ。

母とその兄弟姉妹の関係も似たようなもので、そこにあるのは荘子の「魚は江湖に相忘れ……」なのだろう。

それゆえ、母と娘の関係が淡白なのも、自然なことのように思える。

愛していないわけじゃない。ただ、必要以上に心配したり束縛したりすることがない、というだけのことだ。

二〇一四年八月七日　拒絶

映画を撮りたいと思い始めた時から現在に至るまで、映画の製作費についてはそれほど苦労せずに集められるのではないかと楽観していた。少なくとも、台湾には申請の条件を満たしている補助金制度がいくつかあり、それらについてはすべて面接までこぎつけた。もちろん、落とされたことがないわけではない。しかし原因は準備不足だということが分かっているので、準備をしっかり整えて、もう一度やり直せば済むことだ。何も落胆する必要はない。
気になるのは、映画製作とは別の領域で拒絶されることだ。

今年前半、私は同性愛者を親に持つ者として、二つの話し合いの場に呼ばれた。一つはとある弁護士会が主催する内部研究討論会で、テーマは同性愛者が子供を養育することに関する法令について。そしてもう一つは、模擬憲法裁判だった。両方とも出席しますと返事をしたのに、後になって、どちらからも出席を辞退してくれと言われてしまった。

出席を拒否された理由はそれぞれ異なるが、共通する部分もある。某弁護士会の示した理由を引用すると、「同性愛者の子供、という立場が急進的過ぎて、研究会に臨席予定の、同性婚や同性愛者による子供の養育に反対している人々にとって、あなたの存在は面白くない」のだそうだ。

私が何もしなくても、何も話さなくても、存在しているだけで一部の人たちを刺激し、気分を害してしまうらしい。結局私は研究報告書の中の一つのケースとして、あるいは、数量データの一つとして討論の材料になることになり、実際に討論の場で、皆にその存在を認めてもらうことができなくなってしまった。

このことは、映画のプロデューサーからの、ある問いを思い出させる。それは、どうしてこのストーリーをドキュメンタリー映画の形にする必要があるのか？　他の表現方法ではだめなのか？　というものだ。

私が思うに、それこそが原因の一つだ。つまり、文章による表現や、劇映画として俳優が演じたのでは、世間が目を背けたい存在を社会にきちんと示すことができない。私たちのリアルな、生き生きとした姿を世間に見せることで、社会が私たちの存在を認めざるを得ない状況にする必要があるのだ。

二〇一四年八月十八日　カメラ

「お母さん、明日から毎日十分間、カメラに向かってしゃべってもらってもいい？　内容は何でもいいよ」

「分かった」

少し意外だったが、母はあまり疑問を持つこともなく、私の頼みを聞いてくれた。こうして撮影は新たな段階に突入した。カメラマンも監督もいない、母とカメラだけでの撮影。

そして母は本当にカメラに向かって話をしてくれた。とりあえずは何をしゃべってくれても構わなかった。大事なのは母が自分の意志でしゃべる、ということだ。私は最近スタッフと話し合ったことを思い出した。それは、カメラは私と母の間の対話の障害や邪魔になっていないか？ということだ。日頃から感情を押し殺し、本音を隠すことが習慣になってしまっている私たち母娘にとっては、むしろカメラの存在が母と私の背中を多かれ少なかれ押してくれ、しゃべる勇気を持つ助けになっていると、私は感じている。

　私と母がカメラを必要とせずに、互いに言いたいことを言い合えるようになる日が来ることを願って。

二〇一四年八月二十四日　自分を受け入れる

「私は自分が同性愛者の家族であることを、いわゆる一般的ではない家族のメンバーであることを、幸運だと思っています。多くの人が経験できないことを経験する機会に恵まれたし、マイノリティの世界を見ることができるからです。だから、私たちはメインストリームを超えた人間として、自分を大切にしていきたいと願っています。それは私たちの人生をより寛容なものへと変化させ、私たちをより良い人間に成長させてくれるものであり、決して私たちを転落させるものではないのです」

今日は娘を連れて、台湾同志家庭権益促進会のチャリティ・ティーパーティーへ参加し、壇上でそのような話をさせていただいた。

「Different, but Not Less——異なっている。でもただそれだけだ」

自分自身と、一見めちゃくちゃで正常とは言えない家族のことを受け入れる勇気を持つために、私はずっと、そのことを教えてくれる存在を必要としていた。

でも、教えてくれる人が現れるのを待つ必要はなかった。私たちは自分で自分にそのことを伝えてあげればいいのだから。

二〇一四年八月二十四日　秘密

本日の撮影の感想……。いわゆる秘密は、守るのが難しく、口に出すのはさらに難しい。

二〇一四年九月八日　マジックアワー

「お母さん、さつま揚げとトウモロコシは切る？」
「切らなくていいよ、そのまま焼くから」

中秋節が近づき、この数日、近所から聞こえてくる会話は、大抵がこんな感じだ。

そんなときはなぜか「マジックアワー」という言葉を思い出す。

マジックアワーは撮影における幻想的な時間で、太陽が沈む直前のほんのわずかな間の、空がさまざまな色に変化する瞬間だ。人生におけるマジックアワーはそのように美しく輝いているとは限らないと思っている。それは常に息をのむような、ため息が出るような、そんな美しいものではないし、平凡な日常の中にひっそりと隠れているものだから。例えば、私がこの二日間、絶えず耳にしてきた、生活必需品についての会話の中に。

一瞬一瞬のすべてが、人生におけるマジックアワーなのだ。

二〇一四年九月八日　幸福とは

本日の撮影の感想……。自分の幸せも不幸せも自由に話せるということは、とても幸福なことだ。

---

1 日本の春闘に由来する、台湾で秋に行われるパレード。

2 労工運動の略で、労働者の福利厚生を求める運動。

3 日日春関懐互助協会。セックスワーカーとサポーターによる団体。

4 反原発運動。

5 環境保護連盟。

6 反迫遷連線の略。反強制立ち退き連盟。

訳者あとがき

夜八時五〇分の『日常対話』上映開始まで中途半端に時間が空いていたので、私は光點華山のカフェ〈珈琲時光〉でホットドッグを食べて時間を潰すことにした。金曜夜のカフェはとても静かだった。前の日に、別の劇場で鑑賞しようと上映時間の一時間前に劇場カウンターに行ったら、チケットはすでに売り切れだった。ドキュメンタリー映画が同じ台北市内の複数の劇場で上映されていたことがまず意外だったし、平日の夜の回が売り切れだったことにも驚かされた。だけど、今この劇場のすぐ隣にあるカフェは私以外にほとんどお客はいないし、もしかして昨日の売り切れは単なる偶然だったのではないか？　そんな私の疑念は、入場した瞬間に打ち消された。赤を基調とした一三三席のモダンシックな劇場は、すでに八割がたお客さんで埋まっていた。

　お客さんたちは、笑えるシーンでは声を出して笑い、そして泣けるシーンではそこここから嗚咽が漏れ聞こえてきた。私の隣に座っていた二十代と思しき男性二人組も泣いていたようだった。作品情報をまったく調べずに見始めた映画はほぼ全編が台湾語だった。中国語字幕に、さらに英語字幕もあったのが幸いし、私も他のお客さんと一緒に笑い、泣くことができた。

　上映後にホアン監督が登壇した。壇上に立つ姿はスクリーンで見るより、もっと小柄で華奢だった。客席からは次から次へと手が挙がり、マイクを手にした人は作品の感想や質問を言っているようだった。字幕がないので、何を話しているのか私にはまったく分からなかった。でも、お客さんも、答える監督も、場内の空気が真剣そのものだったことは肌で感じ取ることができた。時間いっぱい続いたＱ＆Ａは、その後劇場外でも続いた。二十人ほどに囲まれた監督は一人一人の言葉に耳を傾け、熱心に対話をしていた。今、思い返しても、それまでもそれからも経験したことのない、二〇一七年四月の熱い夜だった。

〈女書店〉は台湾大学近くにあるフェミニズム本を専門に扱う書店だ。翻訳を手がけた台湾の独立書店を紹介した『書店本事』の発売時に、読者の皆さんと一緒に台北の書店巡りツアーを実施したのだが、その前日、私は在台文筆家でツアーの引率をしてくださる栖来ひかりさんがアレンジしてくださったルートを独りで回ってみた。最後に訪れたのが〈女書店〉だった。「明日、小グループで見学させてください」の声がけをきっかけに、そこから小一時間店長さんとおしゃべりを楽しんだ。棚を回りながら教えてくれたおススメの本の中に、見知った「紅頭法師」の姿があった。「私、この映画みました！」。思いがけない再会だった。二年前の、あの劇場で体験した高揚感が蘇った。あの映画は本になっていたのか……。居ても立ってもいられなかった。『書店本事』を出版する際に懲りたはずのクラウドファンディングにもう一度挑戦したくなってしまった。翌日、書店巡りツアーで〈女書店〉を訪れた際に、サウザンブックス社の安部さんに「次はこの本！」と言ってしまった。二〇一九年の九月のことだった。

　それから二カ月後、ホアン監督が来日していることを知ったのは本当に偶然だった。ドキュメンタリー映画のワークショップで山形に長期滞在し、その成果発表会が都内でも行われるとのことで、私は主催者に連絡を取り、ホアン監督の都内滞在中に面会するチャンスがあるかを問い合わせた。発表会の後に懇親会もあるので、もしよかったら来てください、との返事だった。私が長々とメールに書いた本の翻訳出版のことについても、事前に伝えてくださるとのことだった。

そして当日、私は友人で字幕翻訳者の蘇雅如さんに付き添ってもらい、一緒に大塚の劇場に行った。発表会後に会場内でホアン監督に声をかけ、そのまま懇親会が行われる中華料理屋に向かう道すがら、話をすることができた。台北で映画を見た時のこと、会場の熱気にすっかり飲み込まれてしまったこと、〈女書店〉で本に出会ったことから、本を日本で翻訳出版する権利は空いているか、映画の配給権はどうなっているかまで、伝えたかったこと、聞きたかったことを監督にぶつけてみた。直接話すのは光點華山の外でお客さんに取り囲まれていた監督に、ようやく感想を伝え一緒に写真を撮ってもらった時以来だった。監督はあの夜、皆に対してしていたのと同じように、私の目を見て真剣に話を聞いてくれ、日本に紹介してもらえるならこれほど嬉しいことはない、とおっしゃってくれた。長編映画『日常対話』のテレビ向けに編集された短編『母と私』は、ＮＨＫとの国際共同制作だ。ホアン監督は長編映画もそれに続く出版も、共同制作でテレビ版を完成させることができたからだと話してくれた。

「今、台北で上映しているおススメの作品」として、あの日真っ先に映画『日常対話』を挙げてくれた映画プロデューサーの張筑悌《チャン・チューティー》さん（その張さんと出会うきっかけを作ってくれたのはエドワード・ヤン監督『台北ストーリー』の日本公開時に、作品ＳＮＳ担当として声をかけてくださったオリオフィルムズ鈴木一さんだ）、〈女書店〉を訪れた際に原書『我和我的Ｔ媽媽』に引き合わせてくれた店長さん、来日していたホアン監督につないでくださった山形ドキュメンタリー道場の藤岡朝子さん、そして大塚の夜道で本の翻訳出版と映画の日本公開を快諾してくださったホアン監督。本書も前出の『書店本事』同様に、クラウドファンディングを経て出版に至ったのだが、思うように支援を集められず四苦八苦する中、私以上にやきもきしながら伴走してくれたサウザンブックス社の古賀さん、安部さん。さらにクラウドファンディングに参加してくださった皆さま、最終日に見た奇跡のようなラストスパートは、作品に興味関心を持って呼びかけをしてくださった方々のお力です。一生忘れません。普段から、そして今回は本と映画の多岐にわたりお世話になっている蘇さん。こうして日本に作品を持ってくることができました。ありがとうございました。

本書を手に取り、開いてくださった皆さま、本当にありがとうございます。

コロナ禍にあえぎつつ、ジェンダーについて、女性の生き方について、同性婚やLGBTQ+に関するあらゆる問題について、家族について、貧困や暴力についてetc. 本書にまつわるあらゆるキーワードの議論が活発に行われているこのタイミングで、日本で本書を出版できることを誇りに思います。

ホアン・フイチェンさんの想いが、本書や映画を通してたくさんの方に伝わりますように。

二〇二一年六月

小島あつ子

著者

黄惠偵（ホアン・フイチェン）

6歳から母親と一緒に葬式陣頭のパフォーマーになり、10歳で小学校を中途退学。20歳の時に社会活動に従事しながらドキュメンタリー映画製作を学び始める。台北市ドキュメンタリー映画製作者組合の秘書室長を経て、現在は独立映像制作者であると同時に、中年に足を踏み入れた地方在住の一児の母。語るべきテーマがある時は映画を撮り続ける（さもなくば場所を探して野菜の育て方を学んでいるかもしれない）。これまでに『八東病房』(2006)、『鳥将要回家』(2009)、『母と私』(2015) 等の短編ドキュメンタリーを発表。完成までに18年を費やした長編ドキュメンタリー映画『日常対話』(2016) は、2016年の金馬奨最優秀ドキュメンタリー賞にノミネートされ、2017年にはベルリン国際映画祭テディ賞、台北映画祭最優秀ドキュメンタリー賞を獲得するなど、台湾内外のさまざまな映画祭で大きな反響と共感を呼ぶ。

訳者

小島あつ子（こじまあつこ）

隣国台湾への興味と台湾映画好きが高じて、2015年に日本未公開・権利切れ映画の自主上映を行う台湾映画同好会を立ち上げる。共訳本に『書店本事 台湾書店主43のストーリー』(サウザンブックス社)。映画『日常対話』配給。

筆録 日常対話

私と同性を愛する母と

2021年7月27日　第1版第1刷発行

著者　黄惠偵（ホアン・フイチェン）
訳者　小島あつ子
翻訳協力　蘇雅如（Gj-Lancelot.Llc.／合同会社ジー・ジェー・ランスロット）
発行者　古賀一孝
発行　株式会社サウザンブックス社
〒151-0053 東京都渋谷区代々木2-23-1
http://thousandsofbooks.jp

デザイン・DTP　atelier yamaguchi（山口桂子、山口吉郎）
編集　山縣真矢（ぐぴ企画）
印刷・製本　シナノ印刷株式会社

Special Thanks　赤松美和子、望月帝、黒木夏兒、台湾映画同好会、
プロジェクト・たいわにっく

Sponsored by the Ministry of Culture, Republic of China (Taiwan)

978-4-909125-30-9

THOUSANDS OF BOOKS
言葉や文化の壁を越え、心に響く１冊との出会い

世界では年間およそ 100 万点もの本が出版されており
そのうち、日本語に翻訳されるものは 5 千点前後といわれています。
専門的な内容の本や、
マイナー言語で書かれた本、
新刊中心のマーケットで忘れられた古い本など、
世界には価値ある本や、面白い本があふれているにも関わらず、
既存の出版業界の仕組みだけでは
翻訳出版するのが難しいタイトルが数多くある現状です。

そんな状況を少しでも変えていきたい――。

サウザンブックスは
独自に厳選したタイトルや、
みなさまから推薦いただいたタイトルを
クラウドファンディングを活用して、翻訳出版するサービスです。
タイトルごとに購読希望者を事前に募り、
実績あるチームが本の製作を担当します。
外国語の本を日本語にするだけではなく、
日本語の本を他の言語で出版することも可能です。

ほんとうに面白い本、ほんとうに必要とされている本は
言語や文化の壁を越え、きっと人の心に響きます。
サウザンブックスは
そんな特別な１冊との出会いをつくり続けていきたいと考えています。

http://thousandsofbooks.jp/